ルポ 足立区

著 山田ルイ

彩図社

はじめに

中学校の教室で、地元のヤクザの話をしたことはあるだろうか?

「あそこの組の人が捕まったらしいよ」とか、「あの先輩はケツモチはあそこの組だよね」とか、そんな話だ。

僕のクラスでは、そういう会話が当たり前のように繰り広げられていた。不良少年も、そうじゃない子たちも、全員がヤクザという組織、そしてその恐ろしさについてある程度の知識を持っていたのだ。

それは、僕のクラスが特殊だったからじゃない。

僕が育った街が特殊だったからだ。

東京都足立区竹の塚。

僕の地元は、ヤクザが多い街だ。

先輩の先輩、親戚、同級生。大げさではなく、誰もが知り合いを辿っていけば簡単にヤクザに辿り着くことができる。ヤクザが多いということは、それだけ暴力事件や薬物の売買など、さまざまな犯罪が多いということだ。

事実、足立区は東京23区のなかでも特に治安が悪いと言われている。特に都内に住んでいるのであれば、同じようなイメージを持っているという方も多いのではないだろうか。

確かに足立区で暮らしていると、他では考えられないような危険な場所や大きな事件に遭遇することは多い。

・中学校の隣にある裏カジノ
・シャブ中の巣窟になっているビデオボックス
・数十人を巻き込んだヤクザの乱闘事件
・妖しいフィリピンパブ街
・人が攫《さら》われる花火大会……

例を挙げだすとキリがない。

僕が生まれ育ったのは、そんな街である。

僕は今38歳で、ここに至るまで散々悪いことをしてきた。特に10~20代は、人様に迷惑をかけ続けるどうしようもない人間だった。そして現在は、行き場を失った足立区の青少年たちをサポートすべくさまざまな活動を続けている。

この本に綺麗事を書くつもりはないし、逆に地元を貶《おとし》めたいという意図もない。ただ純粋な記録として、足立区で生まれ育ったひとりの人間が何を見て何を感じ、どのような心境の変化があって現在の活動に至ったのかを残しておきたいと思い、筆を執《と》った。

自分の体験も織り交ぜつつ、できるだけ客観的に足立区のリアルを伝えられるよう書いたつもりだ。

この街のありのままの姿が、少しでもあなたに伝われば嬉しい。

ルポ足立区 ― 目次

第二章　足立区重大事件簿

第三章　僕が見てきた足立区

第四章　足立区で生きるということ

第一章　足立区DEEPスポット

・足立区ＤＥＥＰスポット（１）

「ゾンビ」が出現するビデオボックス

店内にはＤＶＤが所狭しと並んでおり、好みのものを数本選んで個室で鑑賞する。ＤＶＤとはいっても一般的な映画は申し訳程度にしか置いておらず、そのほとんどはアダルトビデオだ。利用客は各々の個室でコトを済ませ、そのまま退店する……。

これが、ビデオボックスのシステムだ。

東京都内だけでもかなりの数が存在しており、注意して見るとさまざまな駅で「ＤＶＤ鑑賞室」「○本から選び放題！」といった看板を見つけることができる。

足立区でもそれは同様だが、他とは違う点がひとつある。利用客の質とでも言えばいいのだろうか、足立区の客は一見しただけで異様な雰囲気をまとっているのだ。

その異様さを醸《かも》し出す原因は何か？

覚醒剤《シャブ》である。


覚醒剤を使用すると集中力が研ぎ澄まされ、時間の感覚がおかしくなる。大げさではなく、その効果は1日がたった数時間に感じられてしまうほどだ。経験者である僕が言うのだから間違いない。シャブ中たちはその異常な集中力を利用し、ビデオボックスの中で何時間も自慰行為に耽る。


覚醒剤をやっていると、ＤＶＤを選ぶのにも一苦労だ。5時間コースで入った僕の先輩が入念にＤＶＤを選んでいると、店員さんに声をかけられた。

「まだお部屋に入れられていないようですが、延長なさいますか？」

覚醒剤の効き目で5時間もの間、ＤＶＤを品定めし続けていたのである。

シャブ中の間では、こんなことは日常茶飯事だ。

部屋に入ってからの滞在時間は、DVDを選ぶときよりもさらに長い。

僕も経験があるが、覚醒剤中毒の人は大体24時間パック、短くても12時間パックは当たり前だ。あっという間に時間が過ぎて部屋の電話が鳴り、「延長なさいますか？」と聞かれる。中にはその延長の電話を「警察ではないか？」と勘繰《かんぐ》って立てこもってしまい、本当に警察を呼ばれてしまうケースもある。そうした人が多いからか、最近では7日間や14日間、もっと長いものだと1カ月パックというプランも存在する。

覚醒剤特有の〝勘繰り〟は非常にやっかいで、睡眠も食事もとらず何時間もキマっていると、「警察に追われている」「もうすぐ捕まってしまう」といった強烈な焦りと不安を伴う被害妄想が無限に湧いてくる。

僕の友人の話だが、ずっと個室にこもって覚醒剤をキメていた彼はトイレに行くのにも勘繰ってしまい、部屋のゴミ箱に排泄をしたり、TVの液晶画面を汚したりした。「いや～、めっちゃ弁償させられちゃったよ」と言っていたが、逮捕されなかっただけマシだ。

格安で楽しめるビデオボックスは愛好家も多い

もちろん普通に利用している客もいるが、足立区の店舗では、少なく見積もっても3分の1はこういった怪しい利用客が占めているというのが僕の見立てである。

そう考えると店員は、本当に大変な仕事をしていると思う。身体中から酸っぱい臭いをさせ、瞳孔《どうこう》が開ききった客を何人も見てきているだろうし、使用後の部屋を掃除しようとドアを開ければ、部屋中に充満しているむわぁっとした饐《す》えた臭いに全身を包まれるはずだ。

ビデオボックスで遭遇した中で最も印象に

残っているのは、全裸で全部屋をノックして回るジイさんだ。

その日、DVDを借りて2階の個室フロアに上がると、全裸のジイさんが各部屋のドアを端から順にノックしているのが見えた。なんだ、あれは……。異常事態が頻発するビデオボックスにおいても目を疑うような光景だ。

怖くなってすぐに自分の部屋に逃げ込んだが、1時間後——

コンコン、コンコンコンコンコン……

僕の部屋の扉もノックされた。

警戒していたはずなのに、DVDに夢中になっていた僕はジイさんの存在を忘れていた。扉を開けると、目を爛々《らんらん》と輝かせた全裸のジイさんが立っていた。頬のこけたジイさんははあはあと荒い息をしている。ジイさんは僕に懇願するように言った。

「2000円……貸してもらえませんか」

おいおい勘弁してくれ……。無視をして閉めようとしたが、ジイさんは素早い動きで足をドアの隙間に差し込んできた。

「あのぉ、2000円、貸してもらえませんか」

ずっとこもっていて延滞料金が払えなくなったらしい。面倒臭くなった僕は２０００円を放り投げてジイさんを追い払った。ちなみにシャブ中は身体の感覚が敏感になったり、汗を不快に思ったりして、なぜか全裸になることが多い。重度の中毒者だったジイさんは服を着るのも面倒になってしまい、全裸のまま延滞料金を求めて部屋をノックし続けていたのだろう。

時間になり部屋を出ると、１階に警察官が何人も集まっているのが見えた。ジイさんが捕まったのだ。知らないフリをして外に出ようとしたが、出入り口付近で警官に呼び止められた。

「先ほど、あちらの男性に何か渡していたのが見えたのですが」

咄嗟《とっさ》に知らないと答えたが、防犯カメラにはばっちり映像が残っていたらしい。仕方なく、事の顛末《てんまつ》を警察に説明した。ジイさんは重度のシャブ中で、覚醒剤と窃盗の罪で逮捕されたとのことだった。

僕も警察署に連れていかれそうになったが、なんとか抵抗して解放してもらえた。ポケットには覚醒剤のパケが入っていたので、身体検査をされたら終わりだと内心ビクビクしていた。

この日を境に、僕はビデオボックスに行くのを止めた。

理由は、簡単だ。ジイさんを見て、「自分もこうなってしまうのか」と恐ろしくなったからだ。

何十時間も覚醒剤をキメまくったあとの自分の顔は、今でも忘れることができない。鏡に映ったその男は、とても自分とは思えないほど頬は痩《こ》け、瞳孔はガン開きでゾンビそのものだった。

こんなことを続けていたら、次は自分が逮捕されてしまう。そう考えると、もう二度とビデオボックスに行こうなんて気は起らなかった。

しかし、僕は今でも、街中でビデオボックスの看板を見ると生唾が出て鼓動が早くなってしまう。やめてから10年以上経っているのにまだ反応してしまうのは、間違いなくシャブの後遺症だ。これが死ぬまで続くのだと思うと、本当に恐ろしいし、後悔してもしきれない。

「覚醒剤を止めた」

そう言い切れるのは、自分が棺桶に入るときだと思っている。たとえ止めていたとしても、一度でも覚醒剤を使った事がある人は、死ぬまで「止めている途中」なのだ。

足立区のビデオボックスでは覚醒剤に脳みそを焼かれたゾンビが今日も徘徊している。そしてその大半が「自分はまだ大丈夫」と思っている。世の中には決して足を踏み入れないほうがいい世界が存在している。

・足立区DEEPスポット（2）

中学校に隣接する闇カジノ

通っていた中学校の隣に、「ゲーム屋」と呼ばれる場所があった。

足立区中の不良たちが集まるその場所では、金を賭けた違法なポーカーや、スロットマシンで遊ぶことができる。今で言うところの、闇カジノみたいなものだ。

ゲーム屋はボロい一軒家のガレージの中にあった。シャッターはいつも開いていて、外からは丸見えの状態。中には十数人が遊べるスペースがあり、いつも賑わっていた。

新宿・歌舞伎町などの大きな繁華街には闇カジノが点在しているが、足立区の、しかも中学校の隣にこのような場所があるというのは相当異常だ。僕が中学生になったころには絶賛営業中だったため、少なくとも30年近くはこの場所にあった計算になる。

当時のゲーム屋の様子を収めた貴重な写真

遊戯方法はメダルを使ってゲームを楽しむシステム。１００円で20〜30枚くらいと交換できたので、中学生の僕たちが行っても、ある程度は遊ぶことができた。

獲得したメダルは、クオカードやマクドナルドの商品券と交換する。過去にはマックの３０００円のカードが50枚出たことがあったらしい。３０００円×50枚＝15万円だから、遊びとはいえなかなかの金額だ。

ゲーム屋にたむろしていたのは、明らかにアウトローな雰囲気を漂わせた人たちばかりだった。ヤンキー、チンピラから半グレ、ヤクザまで、見るからにヤバい連中が肩を並べて裏ポーカーやスロットに興じていた。

僕たち中学生も、その危ない雰囲気に憧れてゲーム屋通いをするようになっていった。最初のうちは向かいの弁当屋から中の様子を窺《うかが》い、勇気を出してゲーム屋の中に足を踏み入れる。肌がピリつくような緊張感は、今でも鮮明に思い出すことができる。

頑張って通い続けていると、ゲーム屋の大人たちからもだんだんと顔を覚えてもらえるようになった。

「小遣いやるからタバコ買ってこい」

パシリをさせられたこともあったが、大人の仲間入りができた気がして嬉しかった。出禁になっているにも関わらず変装して潜り込んでいる客もいて、彼らの代理で換金を頼まれることもあった。

さらに学校では、ゲーム屋に出入りしているというだけで一目置かれた。「あいつはゲーム屋に行ってるらしい」「この間、クオカード10枚出したらしい」……。目立ちたい盛りの中学生からしたら、たまらない優越感だ。

僕たちは、ゲーム屋を通して少しずつ悪いことを学ぶようになった。

店に置き忘れられたタバコやメダル、あるいは薬物なんかも、僕たちにとっては大切な戦利品だった。当然みんなシラフではないから、そういった類の忘れ物は本当に多いのだ。床に落ちている怪しいパケを見付けたら、それを靴で踏んで隠してから、ゆっくりと自分のほうに引き寄せていく。落とし物を拾うような素振りでパケを拾い上げて、何食わぬ顔でポケットに入れる。お宝ゲットだ。


悪いことといえば、店内にあった両替機も印象深い。

両替機は金が無い客たちからいつも狙われており、半年に1回ほどのペースで壊されては金が盗まれていた。

当然店のオヤジさんもいろいろと対策をするのだが、それは客側も同じだ。勘付かれないように時間をかけて、数日単位で少しずつ壊していく手口も編み出された。

たまにオヤジさんが両替機の鍵を店に置きっぱなしにしているときもあり、これも大チャンスだった。両替機を壊すような乱暴な真似ができない中学生にとっては、この鍵を狙う作戦の方がより現実的でもあった。

　仲間と盗んだ小銭を握りしめて、当時流行していたKappaのジャージを買いに行ったことがある。5、6人で行って全員買うことができたということは、1着1万円だとして6万円くらいにはなっていたはずだ。当時のことを思い出すと店のオヤジさんには申し訳ないが、そもそも違法博打をしていることを考えると、なんとも言えない気持ちになる。

　こんな施設が中学校の隣にあるなんて、問題視されるのが当然だろう。

　しかし、周りの生徒、そして大人たちも含めて、誰ひとりとして声を上げることはなかった。そこには、明確な理由がある。

　このゲーム屋は、地元で代々続く地主が管理する土地にあった。さらに店を管理しているオヤジさんは、引退した元ヤクザだ。この人は僕の先輩のお父さんでもあり、周りでは知らない人はいない有名人だった。

　このような理由から、周りの親や教師たちの間では「あの家には関わらない方がいい」

「文句を言わないほうがいい」といった共通認識があった。下手に刺激して巻き込まれることを避けるため、黙認され続けていたのだ。

ゲーム屋には、10代のはじめから30代になるまで通った。ある意味、青春時代をどっぷり過ごした場所と言ってもいい。

中にはそこに集まっているヤクザと仲良くなり、そのまま本職にスカウトされた仲間もいた。さまざまな人間が集まってくるためか、リクルートの現場にもなっていたのだ。

しかしそんなゲーム屋も、一昨年（２０２２年）、その歴史に幕を閉じることとなった。おそらく暴排条例などの影響もあるのだろう。その知らせを聞いたとき、「そりゃそうだろう」と思ったのと同時に、つい最近まで営業していたことに驚いた。

最後に顔を出したのは、店の最終営業日だった。閉店までの約１週間は毎日24時間ぶっ通しで営業をしており、常に人だかりができていた。

その日も店の前には車が何台も停まっており、中に入って挨拶をすることもできないほどだった。昔からのオヤジさんの知り合いが詰めかけていたのだろう。当然、強面の連中が詰めかけているわけで、周囲から見ても、この店が放つ異様な空気は際立っていた。大物ヤクザの会合か何かのように見えなくもない。ちなみに店がこのような状態になっていても、地域の大人や警察が注意しに来ることは最後までなかった。

・足立区DEEPスポット（3）

ドラッグストアから姿を消すあるモノ

竹の塚のドラッグストアでは、「あるモノ」が頻繁に万引きされ店頭から姿を消す奇怪な事件が多発している。

その商品は、「アトマイザー」と呼ばれるガラスの小瓶だ。アトマイザーは主に、香水を移し替えて持ち歩くための道具として用いられている。

なぜ、竹の塚のドラッグストアからアトマイザーが姿を消すのか？

覚醒剤を炙《あぶ》るときに役立つからだ。

香水の品質を維持するため、アトマイザーには耐熱ガラスが用いられている。シャブ中たちはこれを利用して、覚醒剤を入れた瓶を下から炙り、出てきた煙をストローで吸引するわけだ。

使い捨てのアトマイザーは数百円で買えるため、貧乏ジャンキーに重宝されている。とはいえ、購入しているところを見られるとシャブ中とバレるんじゃないかと勘繰った結果、万引きするジャンキーも多い。

ひと昔前、竹の塚のドラッグストアのトイレには大量の空き箱が転がっていた。入手後、我慢できずにトイレで炙ってしまうのだ。ビデオボックスと同じく、何時間もトイレにこもったきり出てこないというのはザラだ。

そのような客が増えたからか、現在アトマイザーは店頭に並んでおらず、空き箱をレジまで持って行って交換する方式をとっている店が多い。足立区のドラッグストアは事情を把握している。

また最近は、仮にきちんとレジで支払いを済ませても、店を出たところで警察に職務質問されるというパターンも増えた。

この日、薬局の前にはパトカーが停まっていた

「炙り」が怖いのは、注射器に比べて手軽である点だ。

覚醒剤と聞けば注射器を連想する人が多いかもしれないが、ほとんどの初心者は炙りから手を出す。一度キマってしまうと何時間でも炙り続けてしまい、そのうち「炙る」という行為自体が頭から離れなくなってしまう。

薬が切れるとまた買いに走り、ひたすら炙って快楽に浸り続ける……。こうなればもう、注射器に手を出すのも時間の問題だ。

「自分は注射には手を出さない」

最初はそう豪語していたのに、気が付けば腕が紫色の注射痕だらけになっているジャンキーをたくさん見てきた。

彼らが注射器に行き着くのには、単純な快楽の他にも理由がある。

ひとつは、

「炙りよりも注射器の方がワンランク上」

「注射器を使っているほうが上級者」

といった謎の共通認識が広がっているためだ。

炙りしかやったことのない初心者に対して、ベテランたちが「注射は全然違うよ」「お前は炙りしかやらないのか」などとマウントを取っている現場を何度も見たことがある。元中毒者として気持ちは分からなくもないが、明らかに異常な価値観だ。

そしてもうひとつは、注射器を使った方が薬の使用量が少なくて済むからだ。薬が節約でき、その上快感も強いとなれば、みんなが注射器に流れていくのも無理はない。

ここまできたら立派な「シャブ中」で、身体に異変が起きたり、捕まったりしない限りは、自分の力だけで抜け出すことはまず不可能と言っていい。

この強い依存性が、なにより曲者《くせもの》だと思う。


竹の塚の人々は、どのようにして違法薬物を手に入れているのか?

自分自身の経験で言うと、暴力団の先輩や知り合いに電話一本でお願いしていた。仕入れに苦労することはなく、「欲しい」と思ってから1時間も経たないうちに、僕の手にはシャブが握られていた。

裏社会と繋がりを持つ人間はそこら中にいるため、薬を流してくれる人間は簡単に見つかった。

「ラクして稼げるから」という理由で覚醒剤や大麻を売り捌《さば》いて生活の足しにしている半グレやチンピラはたくさんいるし、もっと言えば暴力団と直接繋がりを持っていなくても薬物を手に入れること自体は可能だ。

　薬物が蔓延する竹の塚には当然顧客も多いわけで、それを狙った売人がさまざまなルートから流入してくる。さらに近年はＳＮＳの登場により「売人」の増加・低年齢化が加速しているため、よりその傾向は強まっている。

　これでは、いくら警察が目を光らせても薬物絡みの事件が絶えないのにも頷《うなず》ける。足立区・竹の塚の現状だ。

・足立区ＤＥＥＰスポット（4）

喧嘩が多発するナンパスポット

足立区・竹ノ塚駅前のロータリーは一時期、有名なナンパスポットとして知られていた。そのエリアは駅前ということもあり、ゲームセンターや飲食店、さらには「リトルマニラ」とも呼ばれるフィリピンパブ街など、さまざまな店舗がひしめき合っていた。特に日が落ちると人の量は格段に増え、あちこちから酔客の笑い声や罵声が聞こえてくるスポットである。

人が溢れほとんど無法地帯と化す駅前のロータリーは、女の子に声をかけるにはうってつけの場所だった。

毎晩のように獲物を狙いに来る男たちはもちろん、「あそこは有名だし、ちょっと行ってみようか」という軽いノリでナンパ待ちをする女の子もかなりの数いたのだ。それほど竹ノ塚のロータリーは有名で、男女問わずたくさんの人が集まってきていた。中にはわざわざ県外から来ている人もいたのだから、驚きだ。

不思議なもので、そんな滅茶苦茶な状態のロータリーでも、一応ナンパをする上での暗黙のルールがあった。

まず女の子たちは、ロータリーに沿うようにずらりと列を作る。男たちはそこに車を寄せて、車内から目当ての女の子たちに声をかける。女の子がオッケーならそのまま車に乗せてホテルへ直行。これが、基本的な流れだ。

夜中になるとかなりの台数の車が集まって来るため、女の子に声をかけるのに2～3時間待たなければいけないこともあった。女の子は女の子で、一度車に乗ってホテルへ行き、それが終わるとまたロータリーへ戻ってきて列に並び直す子もいた。

今考えれば「なにをそこまでして……」と思ってしまうが、当時の異様な熱には人を狂わせてしまう何かがあったのだろう。

　車ではなくバイクでロータリーに乗り込んでくる人たちもいた。女の子を連れ帰るために彼らが命を懸《か》けていたのが、バイクのエンジンをリズミカルにふかす、「バイクコール」と呼ばれるテクニックだ。

　バイクコールにおいて重要なのは、いかに細かく正確なリズムでコールをできるかという点だ。

　上手い人がエンジンをふかしながらロータリーに現れるとたちまちギャラリーが集まり、スター扱いでちやほやされる。それを見た女の子たちは「あの人、すごい人なんだ」となり、結果的にそいつがモテるというわけだ。

　このようなことが毎晩行われていたため、竹ノ塚のロータリーにはひっきりなしにコール自慢たちが詰めかけていた。毎晩のようにテンツクやミッキーマウスマーチがロータリーにこだましていた。

この文化の影響もあり、足立区のバイクコールは全国的に見てもレベルが高いと言われている。

暴走族のひとつのステータスとして、自分の単車に「音職人」のステッカーを貼るというものがある。これは公式のバイクコール大会で優秀な成績を収めないともらえないステッカーで、ベテランのバイク乗りでも入手するのが難しいとされている。

しかしそんな中、竹ノ塚のロータリーには、中学生の段階で「音職人」になっているような不良少年がゴロゴロいた。

モテることへの情熱が人を突き動かす力というのは、いつの時代も計り知れない……。


ロータリーでは、女の子を巡る揉め事ばかりが起こった。

「あいつに女を取られた」

「地元の仲間に手を出された」

「女を無理やり連れて行こうとした奴がいる」

そんな話を、毎日のように聞いた。

トラブルはトラブルでも、特に異性関係のトラブルはこじれやすい。これは不良の世界に限った話ではないと思うが、ロータリー周りではその傾向が顕著だった。

異性関係以外での揉め事もよく起きていた。

なかでも特に大きな事件といえば、「竹の塚20人乱闘事件」（83ページ）だろう。多くの被害者が出たこの事件の現場が、竹ノ塚駅前のロータリーなのだ。

僕は事前に仲間から「この日は駅前に近づくな」と言われていたため被害を受けることはなかったが、いつものように駅前に出かけていたらと思うとゾッとする。

また、多くの車が出入りするロータリーという場所の特性上、車の襲撃事件もよく起こった。僕も一度、車を襲撃された経験がある。

ある日車を運転していると、目の前でつかみ合いの喧嘩をしている若者を見つけた。大した喧嘩でなければそのまま通り過ぎようと思ったが、かなり白熱しているようだったので思わず車を降りて止めに入った。

現在の竹ノ塚駅前の様子。昔に比べてずいぶん綺麗になった

はじめは喧嘩をやめるように口で注意したが、お互いにヒートアップしておりなかなか言うことを聞かない。

「いい加減にしろ！」

僕はとっさの判断で片方の胸ぐらをつかんで力ずくで止めた。

騒ぎを聞きつけた警察が飛んできて喧嘩が収まったところまでは良かったのだが、相手は僕の荒っぽいやり方が気に入らなかったらしい。

ロータリーに車を停め待ち合わせ相手を待っていると、数人の人影が現れた。

喧嘩をしていた若者の仲間だ。そう気付いた次の瞬間、ひとりが持っていた石のブロックでフロントガラスをたたき割ってきた。

「てめえ許さねえからな」

車から引きずり降ろされ、ボコボコに殴られた。口の中に、生臭い血の味がじわりと広がる。身を守ることに必死で、抵抗する暇もなかった。

そんな駅前のロータリーも、今では整備されてずいぶんきれいになった。

ナンパ待ちのギャルやそれを狙うチンピラでごった返すことはなく、現在は駅前としての本来の在り方を取り戻している。

・足立区DEEPスポット（5）

不良が毎晩集まる中華料理店

飲み会終わりのラーメンを求める客で毎晩賑わう、人気の中華料理店がある。

中華タカノ。

かつてナンパスポットとして盛り上がっていた竹ノ塚駅前のロータリー付近に店舗を構え、かれこれ30年ほど営業を続けている店だ。

ロータリーはきれいに整備されたが、タカノだけは例外である。タカノは〝あの頃〟のロータリーの雰囲気を色濃く残す、足立区屈指のディープスポットなのだ。

タカノは店主のオヤジさんを中心とした家族経営の店で、コロナ前までは24時間営業をし

「中華タカノ」。深夜でも大勢の客で賑わう

ていた。付近に同じような店は少ないので、夜な夜な賑わっているのも当然だ。

　昼間は普通の中華屋として営業をしているタカノだが、夜になると雰囲気は徐々に変化する。ピークを迎えるのは終電を過ぎた深夜から朝方にかけての時間だ。

　その時間の客といえば、仕事を終えたホストやキャバクラ嬢、そして飲み終わりの酔客たち――。

　たちが悪いのは、この酔っぱらいの大半は、ロータリーで女の子を引っかけられずにヤケ酒をあおった男たちだということだ。

「あの女、俺のこと無視しやがった」

「どうなってんだよ、あの態度」

「キャバクラもシケてたな」

彼らは溜まった鬱憤《うつぷん》を発散させたくてうずうずしている。


そんな客が大量に店に押し掛けるため、深夜のタカノではトラブルが頻発する。こっちを睨んできたとか因縁を付けられたとか、ほとんど八つ当たりのような理由で怒声が飛び交い、ビール瓶が割れる。


彼らは暴れることができれば何でもよく、誰かと揉めるためにタカノに来ている節さえある。中には揉め事の隙間を縫《ぬ》って女の子に声をかけに行く諦めの悪い連中もいるため、もはや店の中は収拾のつかないカオス状態だ。

僕自身、ロータリーがナンパスポットだったころから現在にいたるまで数えきれないほど通っているが、喧嘩がなく平和に帰れた日はほぼゼロ。何も知らずに入ってきた客が驚いて逃げ出すことも、この店では珍しくない。

毎晩喧嘩が絶えないタカノだが、警察沙汰になるケースは稀だ。あまりに喧嘩が白熱しすぎると、ビシッと叱って止めてくれる人がいるのだ。店のオヤジさんである。

詳しい素性は分からないが、このオヤジさんは見た目から性格まで、すべてに気合が入っている。揉めているのが半グレだろうがヤクザだろうが関係なく、

「いい加減にしろ！」

と一括して喧嘩を収めてしまうのだ。時と場合によっては厨房から大きな包丁を持ち出してくることさえある。

どれだけ腹が立っていたとしても、オヤジさんが出てきたら喧嘩は終了。

これがタカノにおける暗黙の了解である。

常連になると心得たもので、なかにはチラチラとオヤジさんの様子を窺いながら喧嘩をしている連中もいるくらいだ。

そしてもう1人、いや2人、店の平和を守ってくれる大切な存在がいる。おそらく娘さんだと思うが、オヤジさんを手伝う双子のお姉さんたちだ。

賑わう店内を忙しく動き回りながら、

「その辺にしないとまた怒られるよ！」

「ほら、サービスしといたからあそこの喧嘩止めてきて！」

と、オヤジさんとはまた違ったアプローチで僕たちを上手く扱ってくれる。

娘さんたちのアメとオヤジさんのムチという、なんとも奇跡的なバランスでタカノは回っているのだ。

ちなみにこのお姉さんたちは本当によく似ていて、双子だということを知らず初めて店に来た仲間が、

「あれ、お姉さんさっき向こうにいなかった……？」

と混乱してしまうのがお決まりのパターンである。

最後に、僕自身が経験したタカノでの喧嘩について書いておこう。これは、僕がまだ20歳くらいだったときのエピソードだ。

その日も、いつものように仲間と飲んだ朝方、タカノに流れ着いた。まだ帰るような気分でもなく、最後にここで粘ろうというわけだ。

店内には不良のグループがひと組いた。全員が僕らよりも少し年上で、30歳前後に見える。後になって彼らは若いヤクザだということがわかるのだが、まだ若かった僕らは「関係ねえよ」と仲間内で好き勝手に騒いでいた。

きっかけは、ほんの些細なことだった。

「おい、さっきからうるせえんだよガキ」

我慢の限界を迎えた向こうが、因縁をつけてきた。

売られた喧嘩は当然買う。こちらも一斉に立ちあがり、相手を睨みつけながら応戦した。

「うるさいのはそっちだろ、オッサン」

店内は一気に一触即発の空気に包まれた。怯えた一般客が、慌てて帰り支度をはじめる。

向こうは5人、こちらは6人。

正直勝てると思っていたが、ここで状況が一変した。彼らは武器として警棒を持っていたのだ。

しまった、と思ったときには遅かった。

警棒であちこちを殴られ、身体中に鈍い痛みが走る。反撃を許さない、容赦ない乱れ打ちだった。

「さっきの威勢はどうしたんだオラ！」

下手したら、マジで殺されるかもしれない。

何とか助かる方法はないか？　仲間は無事か？

身動きの取れない体とは裏腹に、頭の中だけはやけに冷静だった――。

壮絶な一夜だった。

このとき目をやられた仲間は今でも後遺症に苦しめられているし、僕は両肩の骨を折られてしまい、4カ月間全く仕事ができなかった。極めつけには、全員で「落とし前」として100万円を払わされることになった。

ヤクザは絶対に敵に回すべきではない。ヤクザが圧倒的な存在感を持っている足立区ならなおさらだ。そのことを改めて思い知ることになった。

ちなみにこの時ばかりは、さすがのオヤジさんも厨房から出てくることはなかった。


コロナを経て24時間営業ではなくなってしまったが、タカノは今でも営業を続けている。相変わらず喧嘩や揉め事は絶えないが、それでもみんなから愛される素敵なお店だ。

トラブルに巻き込まれないように注意は必要だが、足立区・竹の塚のリアルな雰囲気を感じてみたいという方はぜひ一度行ってみるといいだろう。ただし、責任は取れない。

・足立区DEEPスポット（6）

刺青だらけの銭湯

近年、幅広い世代で空前のサウナブームが巻き起こっている。YouTuberやテレビタレント、アイドルなど、影響力のある方々があらゆるメディアでサウナ好きを公言していることも大きな理由のひとつだろう。

そんなサウナブームと関連して注目されているのが、銭湯の存在だ。最新の設備を整えたいわゆる「スーパー銭湯」はもちろんのこと、昔から街にあるようなレトロな銭湯も同じく人気を集めている。

足立区には、昔ながらの銭湯が数多く存在している。『銭湯といえば足立』というフリーペーパーが区の公式で発行されるほど、街ぐるみで銭湯を愛している地域なのだ。

僕が子どものころは、銭湯は地域の交流の場にもなっていて、近所の友達やおじさん、おばさんたちとよく顔を合わせたものだった。ただ子ども心に、

「これは普通のことなのか？」

と違和感を覚えずにはいられない点があった。

足立区の銭湯には身体に墨《スミ》が入っている人が多く、はっきり言って治安最悪だったのである。

普通は若者が多少うるさくしていたとしても、見て見ぬフリをするのが当たり前だ。

だが、足立区の銭湯ではそうはいかない。

不届き者は刺青の入った大人から遠慮なく怒鳴り散らされるし、水をぶっかけられたり、最悪の場合、ぶん殴られることもある。

憩いの場である銭湯でも、ひとたび礼を欠けば痛い目を見ることになるのだ。

昔から銭湯が大好きだった僕は、学校が休みの日は友だち数人と連れ立って銭湯に行くのが日課だった。

そのころ僕はおばあちゃんに育ててもらっていたのだが、

「銭湯に行ってくる」

と言えば夜遅くの外出でも許してもらえた。おばあちゃんも子どものころから銭湯に行っていたからだろう。給食で飲むものとなにも変わらないはずなのに、なぜか銭湯で飲む牛乳だけは特別な味がした。

悪ガキだった小学生の僕たちは、サウナの中で水風船を投げ合ったりしてやりたい放題に遊んでいた。中にははしゃぎすぎて出禁になった銭湯もあったが、そのころは反省するどころか、

「俺たち、あの銭湯出禁になったんだぜ」

と、ちょっとした武勇伝のように自慢したものだ。

ある時ははしゃぎすぎて、年上のお兄さんたちに目を付けられてしまったこともある。

「お前ら、ぶっ飛ばされるか財布出すか、好きな方選べ」

いつものように友達と銭湯を出ると、声をかけられた。声の主は、いかにもやんちゃそうな高校生くらいの集団だ。

今となっては高校生が小学生のカツアゲなんてみっともないと思うが、当時の僕たちは怖くて震えあがってしまった。

当然、選択の余地はなかった。

僕たちは全員、黙って財布を差し出すことを選んだ。しかも、なぜか僕だけ足払いをされて顔面を蹴られるというおまけ付きだ。仲間の中で唯一生意気な態度をとっていた僕が気に入らなかったのだろう。

その日からその銭湯には近づけず、また別の場所を探すしかなくなった。

中学に上がってからはしばらく足が遠のいていたが、24歳で格闘技を始めてからは、減量のためにまた頻繁に通うようになった。

そのころ僕は手首まで刺青が入っていたので、サウナで一緒になった刺青だらけのおじさんによく話しかけられた。

「兄ちゃんも、クスリ抜きに来てるんでしょ？」

仲間だと見なされ、いつの間にかその前提で話が進んでしまうことも少なくなかった。

このように、全身に刺青が入っているとヤクザの人から声をかけられることは多い。

銭湯で意気投合した人から覚醒剤を買った友だちもいたし、サウナで勧誘されてヤクザに家業入りしたヤツもいた。

僕自身も、

「いい身体してるね。何かやってるの？」

などと勧誘を受けた経験は何度もある。

そういう時は、

「自分はただ格闘技をやってるだけで、暴力団ではないし、興味もありません」

とはっきり答えることにしていた。そうでもしないと、一度暴力団に入ってしまったら、一生その世界から抜けられないと思っていたからだ。


そんな僕の銭湯生活だが、中には印象深い出会いもあった。

ある時期に僕が通っていた銭湯のサウナ室で、よく倒れているおじさんがいた。それも一度や二度ではなく、本当にしょっちゅうだ。

僕はそのおじさんが倒れているのを見かけるたびに、声をかけたりスタッフの人を呼んであげたりしていた。


「この間は悪かったね」

ある時、おじさんはそう言って牛乳をご馳走してくれた。

「よく倒れていますけど、大丈夫なんですか？」

僕が聞くと、おじさんはあっけらかんと答えた。

「ほら、シャブやってると睡眠もとらないし水も飲まないでしょ?」

「そうですね」

「その状態でサウナ入っちゃうもんだからさ、すぐ脱水症状起こしてぶっ倒れちゃうんだよ」

少なくなった歯を見せながら、おじさんはケタケタと笑った。

ここまで開き直ってしまえば、この人に怖いものなんかないんだろうな。そう思うと、僕も笑えてきた。足立区ならではのブラックジョークのようなものだ。

そんな愛すべき足立区の銭湯も、コロナ禍の影響で大打撃を受けた。これを受け足立区は、ふるさと納税の返礼品に「銭湯の一番風呂に入る権利」を組み込んだ。

古き良き銭湯を守っていくための、とても面白い試みではないだろうか。銭湯好きの僕としても、この取り組みは積極的に応援していきたいと思っている。

色々と物騒なことも書いてしまったが、基本的に足立区の銭湯はどれも素晴らしいものば

かりだ。たまには壁に描かれた富士山以外の色とりどりの〝絵〟を眺めながら湯に浸かると
いうのも、また一興ではないだろうか。

・足立区DEEPスポット（7）

不良の憩いの場　日焼けサロン

一時期、足立区の不良は中学生のうちから全員日焼けサロンに通っていた。子どものころから、しかも毎日のように通うなんて今の感覚からしたらあり得ないかもしれない。だが、当時はそういう時代だった。

日焼けのかっこよさに初めて衝撃を受けたのは、中学1年生のときだ。

そのころはギャル男やルーズソックスなど、男女問わず「ガン黒」が大流行していた。

ある日真っ黒に日焼けしてきた先輩を見て、素直にかっこいいと思った。

すげえ、別人みたいだ……。いつからか、自分も先輩のように焼いてみたいと憧れるようになった。

初めて日焼けサロンに行ったときのことはよく覚えている。先輩に頼んで、行きつけの店に連れて行ってもらったのだ。

その日焼けサロンは、竹ノ塚駅のすぐ近くにあった。いかにも入りにくそうな雑居ビルの2階にあって、ヤクザからチンピラまでみんなが焼きにくる有名店とのことだった。

中に入ると簡単な待合スペースと受付があり、その奥に数台マシーンが置いてある。

この待合スペースでは悪そうな人たちが裏社会の情報交換をしたり、自分たちと同じように日焼けをしにきたギャルをナンパしてみたりと、ちょっとした交流の場になっていた。

学校ではでかい顔をしていたとはいえ、こんなに「ホンモノ」たちが集まる場所は初めてだった。情けないことに極度の緊張から腹を壊してしまい、先輩を差し置いて長時間トイレにこもってしまう始末だった。

そんなほろ苦いデビューを経て、僕はほぼ毎日その日焼けサロンに通うようになった。

真っ黒に日焼けをしているというだけで、学校ではかなりモテた。

「ルイくん、あの日サロに通ってるらしいよ」

「あんな怖い場所、俺は行けないわ……」

店に出入りしているというだけで、周りからは一目置かれた。通っていること自体がステータスだった。

体育の時間は真っ白な体操着に焼けた肌がよく映えるため、ここぞとばかりに日焼けを見せつけるように歩いた。

日焼けさえしていれば、自分を強く、そしてかっこよく見せることができる。そのうち常に焼いていないと落ち着かないようになり、店に通う回数もどんどん増えていった。

当然身体には良くないが、それよりもかっこよさが最優先だった。

「日焼けといえばルイ」

という評価が学校でも定着してきたころ、僕の会員カードがついにゴールドになった。中学生なので元々料金は安かったが、ゴールドカードを取得したことで一律1000円で何時間でもマシンに入れるようになった。超ＶＩＰ会員だ。

新しく店に通いたいという不良仲間も、僕の紹介であれば安く入ることができた。

ちなみにこのゴールドカードは地元のヤクザの組長と中学生の僕しか持っておらず、これも僕の自慢だった。


中学3年生になると、その店でバイトを始めた。

ゴールド会員で安くなるとはいえ、やはり月数万円も日焼けサロンに使うのは中学生にとってかなり厳しい。店員になればタダでマシンを使えるし金も稼げるしで、一石二鳥だと考えたわけだ。

在学中は「友だちと会ってくる」と嘘をついてこっそり出勤し、卒業してからはより本格的に働くようになった。

中学を出てすぐのころは親がやっている鉄筋屋で夜まで働き、そのまま日焼けサロンに直行して朝までシフトに入るという生活を続けていた。

店長は、20歳くらいのお兄さんだった。ギャル男ファッションに身を包み、悪いことにも多少の心得がある。当時よくいたタイプの若者だ。

中学1年生から毎日通っているということもあり、店長は僕のことをすごく可愛がってくれた。いろいろなことを教えてくれた恩人のひとりである。

ところがある時、僕はその恩人を裏切ってしまう。

夜通し日焼けサロンでバイトをしていたころ、新しい彼女ができた。

先輩に連れて行ってもらったキャバクラで知り合った年上の女性で、いつも高そうなブランド物で身を包んでいた。

当時金がなかった僕は、

「この人に釣り合うような男になろう」

と決心した。

ちょうど足立区を出て新宿・歌舞伎町で稼げるようになろうと考えていたタイミングでもあったので、まずは金を貯めてその準備をしようと画策した。

日焼けサロンが入っていたビル。現在は店名が変わっている

しかし親の会社とバイトでちまちま稼いでいても、資金が貯まるのはいつになるかわからない。

手っ取り早く金を手に入れる方法はないだろうか。

そこで思いついたのが、日焼けサロンのレジから金を抜くという方法だった。レジに入っていたのは、たかだか数万円程度だった。僕はそれを根こそぎ抜き取って、そのままバイトを飛んだ。

特に追われるようなこともなく、歌

舞伎町のクラブで薬物の売人を始めた。金額が金額だし、向こうも探しには来ないだろう。

当時の僕は本当にろくでもない人間だった。


ある日、日焼けサロンの店長が偶然、客としてクラブに遊びに来た。

「おい！　ルイじゃねえか！　お前、なにやってんだよ！」

逃げる暇もなく、僕はすぐに見つかった。

しかし、そのころの僕はヤクザとも付き合いがあり、正直言って店長にビビることはなかった。罵声を浴びせられはしたが、店長も僕のバックにいるヤクザに気付いていたのか厳しく詰めてくることはなかった。

「レジから抜いた分、クスリで返しますんで。それで許してもらえませんか？」

開き直ってそう提案をしてみると、店長も乗ってきた。

その日から店長は、僕の客になった。

・足立区ＤＥＥＰスポット（8）

心霊スポット　おばけ団地

今はもうなくなってしまったが、かつて足立区・毛《け》長川《ながかわ》沿いには「おばけ団地」と呼ばれる心霊スポットがあった。

誰も寄り付かないボロボロの廃墟で、その名の通り「あそこにはおばけが出る」と地域の子どもたちの間で有名な団地だった。ガラスはすべて割られ、壁はスプレーの落書きだらけ。使用済みのコンドームや注射器なんかがそこら中に散乱しており、まさしくおばけ団地と呼ばれるにふさわしい場所だ。

僕らの学校ではその場所を「バケダン」と呼んでいて、夏になると仲間たちと連れ立って肝試しに行くのが定番になっていた。

おばけ団地には、本当に〝おばけ〟が出る。

いや、おばけではなく〝ゾンビ〟と言った方が正確かもしれない。


ある日の夜中、僕は友だち数人とおばけ団地に肝試しをしに行った。真っ暗な廃墟の中を懐中電灯の明かりを頼りに恐る恐る進んでいくと、奥に人影らしきものが見えた。

「おい、今の見た?」

さらに近づいていくと、〝それ〟は紛れもなく人間の形をしているのがわかった。部屋の隅の方で、何やらうずくまっているようだ。

僕らはゆっくりと、懐中電灯の明かりを向けた。僕らに気が付いたその人影は、睨みつけるようにジロリとこちらを振り向いた。

「で、出たあ!」

僕らは大急ぎで引き返し、息を切らしながらおばけ団地を出た。

「あれ、完全におばけだったよな?」

「うん、絶対そうだった!」

その日からしばらくは、学校中おばけ団地の話題で持ち切りだった。


もちろん冷静になって思い返してみれば、その〝おばけ〟は人目につかないところでシャブをやっていたただのジャンキーだ。しかしそんなことを考える頭がない僕ら小学生からしたら、「幽霊を見た」と思い込んでしまうのも無理はなかった。

この経験があまりに強烈で、僕たちはそれからも幾度となくおばけ団地に通った。


中学に上がっても、おばけ団地には定期的に通っていた。ただしその目的は肝試しのためではなく、こっそりと悪い遊びをするためだ。

机やベッド、さらにはテレビまで、おばけ団地にはさまざまなものが持ち込まれた。みんなで大麻を吸ったり女の子を連れ込んだりと、何でもありの秘密基地状態だ。映画やヤンキー漫画でよく見る、まさに「不良の溜まり場」といった雰囲気を想像していただければわかりやすいだろう。

警察がパトロールに来ることもあったが、逃走経路の抜け道までしっかりと熟知していたので問題はなかった。


おばけ団地の屋上には、大きなクレーンがあった。

そのクレーンはまだ動かせるようになっていて、よくみんなで操作して遊んでいた。おそらく一度団地を取り壊そうとした計画がなくなってしまい、そのまま放置されていたものではないかと思う。

近くの川を挟んだ向こう岸からはそのクレーンを含め屋上の様子がよく見えるようになっていて、近隣住民の間では、

「クレーンが勝手に動いている」

「屋上で人影を見た」

とひそかに話題になっていたらしい。

事情を知らない人たちからしたら、さぞ不気味だったことだろう。

写真左手が、おばけ団地の跡地。現在は住宅街になっている

図《はか》らずも、今度は僕たちが「おばけ側」になっていたというわけだ。

そんなおばけ団地がなくなったのは、あっという間のことだった。

元々問題視はされていたのだろうが、ある時期からパトカーが来る回数が増え始めた。売人たちがこの場所に目を付け、徐々に大麻や覚醒剤の取引場所として利用されるようになっていたのだ。

こうなると警察もさすがに無視できなくなったのだろう。おばけ団地はすぐに立ち入り禁止になり、気付いたころには取り壊されて更地になっていた。


ひとつの遊び場が無くなってしまった悲しさはもちろんあったが、一方で仲間内では、

「逆になんで放置してたんだ?」

「むしろ取り壊すの遅すぎねえか?」

という話にもなった。

どこからどう見ても不良が集まって来ることは明らかな廃墟だっただけに、僕らも取り壊されるのは時間の問題だろうとどこかで思っていた節があった。

色々と事情はあるのだろうが、

「他の区だったらもっと早く取り壊されていたのでは?」

と思わないでもない。

おばけ団地は足立区ならではは心霊スポットだったのだろう。

・足立区DEEPスポット⑨
日本の「リトルマニラ」

足立区、特に竹の塚は「リトルマニラ」と呼ばれるほど、多くのフィリピン人が暮らす地域だ。他の地域を比べて圧倒的にその数が多いため、〝不良グループのリーダーがフィリピン人〟ということも珍しくはなかった。

彼らフィリピン人に共通しているのは「並外れた運動神経と人懐っこい性格」ではないかと思う。僕の周りにもフィリピン人や日本とフィリピンのミックスの子がたくさんいるが、彼らはみんな日本人よりも愛情深く感じる。

つまらない偏見を持たずに誰とでも分け隔てなく接することができるようになったのは、

足立区に生まれて良かったことのひとつだなと思う。


また、フィリピン人の多さは夜の街にも大きな影響を与えている。

最盛期は50店舗以上のフィリピンパブが軒を連ねており、僕も金がなかったころには、よくフィリピンパブを利用していた。

料金も安く、さらに店の女性たちも日本人に比べて圧倒的にフレンドリーであるため、仲間内の遊び場として最高のスポットだった。


外国人が多くたむろする夜の街。

そう聞くと反射的に「危険な地域なのでは？」と考えたくなるが、少なくとも僕が遊んでいたころはそんなことはなかった。

確かに僕や周りの仲間はやんちゃな悪ガキではあったが、当時竹の塚で暮らしていたフィリピン人たちは皆、20歳そこそこの僕たちに比べてかなり大人だった。向こうからしたらガキの相手なんてしていられないし、こちらとしてもわざわざ年の離れた大人に突っかかっていく必要はない。

そういう絶妙なバランス感覚で、竹の塚の平穏は保たれていた。

そんな竹の塚のリトルマニラも、新型コロナウイルスの影響をもろに受けることになった。基本的にフィリピンパブは、高齢者に人気のスポットだ。感染リスクが高い常連客たちの足は遠のいてしまった。

また、２０２０年に竹の塚のフィリピンパブでクラスターが発生し、それがニュースになったのも大きな打撃だった。当時はフィリピン人に対する心無い差別も横行していたと聞く。

コロナウイルスの流行と、それに付随する差別。これらの影響で閉店に追い込まれた店は、かなりの数に上るだろう。地元の惨状に悲しくもなったし憤りも感じたが、僕ひとりの力ではどうすることもできず、当時は非常に歯がゆい思いをしていた。

そもそも、竹の塚にはなぜ多くのフィリピン人が集まっているのだろうか？　気になって、フィリピン人の知り合いに尋ねてみたことがある。きっかけは、竹の塚のフィリピンパブを束ねるリーダー的存在、Y氏との出会いだった。

夜に竹ノ塚駅の周りを歩いていると、必ずと言っていいほど声をかけられてフィリピンパブに誘導される。

値段はだいたい1時間1500円から2000円。これでもかなり安いが、キャッチをしている外国人と仲良くなれば、もっと安くサービスをしてくれる。

キャッチの外国人の中には半グレ風の人もいれば、日本のヤクザ然としたスーツを着ている人もいる。後者の方は大抵、お店のオーナーが自らキャッチをしているパターンだ。

そんなキャッチの中でも一際目立っているのが、Y氏だった。

Y氏とは、かれこれ15年来の知り合いになる。飲み屋で顔を合わせると必ずハイタッチをし、世間話が始まる。

それを見たY氏の仲間や店の従業員たちも、僕を仲間のように扱ってくれるようになった。

夜の「リトルマニラ」には、色とりどりのネオンが輝く

その繋がりで、一度だけY氏の誕生日会に参加したことがある。そのパーティーには日本人が僕ひとりだけで、竹の塚にいながら外国にいるような気分だった。

「どうしてみんな竹の塚に住んで働いてるの？」

ある程度場に馴染んでくると、僕は以前からの疑問をみんなにぶつけてみた。返ってきた言葉は、単純そのものだった。

「わからない。フィリピンの人が竹の塚に多かったから、なんとなくみんなここに集まってきた」

あまりにシンプルな回答に拍子抜けしてしまったが、考えてみれば理由なんてそんなものなのだろう。

竹ノ塚駅は埼玉県のすぐそばに位置しているため、埼玉の工場で働くフィリピン人にとって通勤しやすいとか、駅周辺にはUR都市機構による賃貸住宅が複数あるとか、それらしい要素を挙げることはできる。

そうは言っても結局は、知り合いのツテを辿って「なんとなく」皆がここに集まった、というのが真理なのだろう。質問に答えてくれた皆の顔を見て、そう思った。

彼らは本当の家族のように手を取り合って団結しており、「知らない国で、みんなで力合わせて頑張って行こう」という熱い気持ちを感じた。

竹の塚には外国人が多いと聞いて、「治安が悪そうで怖い」と感じるか、「海外の人も暮らしやすい街なんだ」と感じるかは、その人次第である。僕は後者だと思うし、竹の塚にはそれを裏付けられるような良いところもたくさんあると思っている。

第二章　足立区重大事件簿

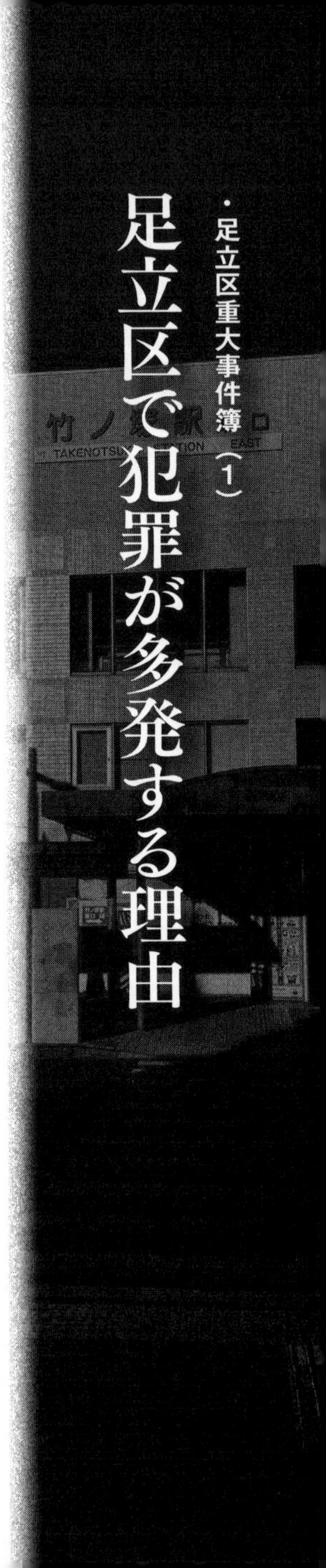

・足立区重大事件簿（1）

足立区で犯罪が多発する理由

足立区では、毎日事件が起こっている。

そのため、区外の人間からは「足立区はとにかく治安が悪い」というイメージを持たれてしまうこともしばしばだ。正直なところ足立区を愛する僕からしても、そういったイメージを否定することはできない。

なぜ足立区では事件が頻発してしまうのか？

ここでは僕なりの考えを書いてみたいと思うのだが、その前に僕の中で印象深い事件をいくつか紹介したい。

20日午前3時40分ごろ、東京都足立区竹の塚の路上で、指定暴力団山口組系組員と神戸山口組系とみられる組員が乱闘、警視庁組織犯罪対策4課は同日、暴力行為法違反の疑いで自称住所不定、無職の阿部利幸容疑者（47）を逮捕した。同容疑者は神戸山口組系組員とみられ、山口組弘道会系の組員（41）ら3人が頭などに軽傷を負って病院に運ばれた。組対4課は分裂をめぐるトラブルの可能性もあるとみて調べている。

（2016年3月21日「サンケイスポーツ」）

これは以前、竹の塚で起きた乱闘事件についての記事だ。

「ルイ、明日は絶対に竹の塚では呑《の》むなよ」

事件前、友人たちから何件か連絡があった。その時は急に何を言い出したんだとあまり相手にしなかったが、翌朝ニュースを見て驚いた。詳しいことは分からないが組織間のトラブルのようで、報道の大きさを見ても重大事件だったことがうかがえた。

乱闘事件が起きた現場

ヤクザの人間関係は、とにかくややこしい。

昔からの仲で、普段は分け隔てなく一緒に行動することもヤクザ同士でも、組織間の微妙な関係が絡むとそうもいかないのが現実だ。

おそらくこの事件も、そのような人間関係の絡みから乱闘に発展してしまったパターンなのではないかと思う。

また、近年ではこのような事件も起きている。

17日午前3時45分ごろ、東京都足立区一ツ家2にある特定抗争指定暴力団山口組系の組事務所に砂利を載せたダンプカーが突っ込み、入り口付近の壁が壊れた。地元の別の暴力団とトラブルになっていたとの情報があり、警視庁組織犯罪対策4課は建造物損壊容疑で捜査している。けが人はいなかった。

現場は、つくばエクスプレス六町駅の西約500メートルの住宅街。事件後、事務所の入り口付近はブルーシートに覆われ、警察官が警戒に当たった。

（2020年1月17日「日本経済新聞」）

暴力団の抗争といえば拳銃や日本刀を思い浮かべる人が多いかもしれないが、最近では車両を使ったケースも増えている。いわゆるダンプ特攻だ。車両を使った破壊行為は機動力などの面でリスクが大きい気もするが、なぜこのような手法をとるのだろうか。

個人的な意見だが、これには「少しでも刑が重くなるリスクを軽減したい」という心理が働いているのではないかと思う。

凶器を持って直接人を襲えば傷害や殺人未遂、場合によっては殺人になってしまうかもしれないが、事務所に車で突っ込めば器物破損や道路交通法違反だけで済むケースもある。小回りはきかないかもしれないが、流れ弾などで関係のない一般人を巻き込んでしまう可能性を考えれば、車両の方がいくらかは安全だ。

さらには派手な見た目で相手にプレッシャーをかけることもできるため、抗争を仕掛ける側としては一石二鳥である。

時代や法律が変われば、抗争の道具も変わる。

これはいつの時代も変わらない裏社会の常識だ。

では、なぜ足立区ではこのような事件が頻発するのか。

この問いについて考えるのにふさわしい、足立区を象徴する事件がある。

その事件が起きたのは、2009年のこと。

指定暴力団である松葉会系組の幹部が、ある人物に射殺された。殺人の容疑で逮捕されたのはなんと、住所不定のタクシー運転手だった。抗争相手などではなく、一般のタクシー運転手である。

運転手は幹部の腹などに発砲し殺害。

幹部との間には金銭的なトラブルを抱えていたようだった。

タクシードライバーが暴力団組員を射殺。真っ当な感覚の持ち主であれば、「普通は逆なのでは？」と感じるのではないだろうか。

なぜ、一般のタクシードライバーが暴力団相手に発砲してしまうのか？

そもそもどうやって、一般人が拳銃を手に入れることができるのか？

ここに足立区の闇がある。

本書の冒頭に書いた通り、足立区は他の地域と比べて一般人と裏社会の人間の距離が圧倒的に近い。先輩後輩の繋がりだったり、友達の友達だったり、探そうと思えば簡単に暴力団や半グレの人間と繋がることができる。

そして厄介なことに、そういった裏社会の繋がりはなかなか断ち切るのが難しい。こちらが距離を置こうとしても足を引っ張ってくる人間はいくらでもいるし、

「俺たちを裏切るのか」

「どうやってケジメをつけるんだ」

と圧力をかけられ、ずるずると関係を続けてしまうのが裏社会の常だ。

こうした人間関係が深く根を張るがゆえに、一般のタクシードライバーが拳銃を手に入れ、さらには発砲にまで及んでしまうという事件が起きてしまう。

治安の悪さが犯罪を呼び込み、その犯罪によってまた治安が悪くなっていく……。足立区にはそんな負のスパイラルが存在している。

・足立区重大事件簿（2）

人が攫われる花火大会

毎年7月下旬になると、荒川の河川敷で「足立の花火」という花火大会が開催される。地元に限らずさまざまな地域から人が集まる、一大イベントだ。

数十万人以上の人出がある「足立の花火」だが、当然その中には地元のヤンキーや暴走族、ヤクザなども含まれている。年に1度のお祭りを心待ちにしているのは、彼らも同じなのだ。ひとつ違いがあるとすれば、この花火大会は彼らにとって〝楽しむ〟以外の目的も含んだイベントだという点である。

悪ガキだった小学生のころ、僕にとってこの花火大会は夏休みを存分に楽しむための場所であり、〝宝探しの場所〟でもあった。

人でごった返す河川敷では、毎年大量の落とし物が出る。財布からアクセサリー、携帯電話まで、金がない小学生からすると宝の山だ。

花火大会が終わって人が帰りだす夜の9～10時ごろになると、僕は仲間と一緒に河川敷を歩き回り、金に換えられそうなものを手分けして探した。すると面白いように次々とお宝が見つかるのである。ズボンのポケットに入りきれないほど大量の財布や携帯電話を詰めこんで、みんなホクホク顔で帰ったこともある。

中学生になると、やんちゃな子たちはバイクに興味を持つようになる。

暴走族をはじめとする地元のバイク乗りにとって、この花火大会は大事な勝負の場所だった。普段から練習しているバイクコールや運転のテクニックを披露し合い、誰が一番目立つことができるのかを競うのである。

バイク乗りたちが集まるのは、河川敷近くのエリアだ。最寄駅から河川敷までの間には一

バイク乗りが集まる通り。道が広いだけに、危険も大きい

本の大きな道が通っており、花火大会当日になると会場付近は通行止めになる。この通行止め付近ギリギリのエリアを、警察を挑発しながら派手に走行するのだ。

ノーヘルや2人乗りは当たり前で、なかにはその日のために刺青を入れたり、いわゆる特攻服を着て走りに来る気合の入った連中もいた。

いわゆる「旧車會《きゅうしゃかい》」と呼ばれるような、暴走族を引退した先輩方もこの日は集まってきていた。僕が小さいころから毎年ずっと来ている人もいて、バイク好きにとっては本当に大事な日なんだろうな、と子どもながらに思った記憶がある。

大勢のギャラリーが詰めかけるため、その一帯は毎年すごい混雑具合だ。

警察も「今日くらいは……」と大目に見てくれることは、ない。向こうも毎年不良が集まるのはわかっているため、一網打尽にしてやろうと鼻息を荒くしている。

こちらはそこをいかに挑発し、上手く逃げるかが重要になってくるわけだ。

そんなバイク乗りたちの祭典だが、大きな喧嘩が起きることはほとんどない。

聞いた話だが、20年ほど前に一度だけ大きな揉め事が起き、巻き込まれた一般の方が亡くなってしまう事件が起きたらしい。その事件以来、「この場で喧嘩はするな」という暗黙の了解が不良たちの間で広まったのだという。ちなみにこのルールは、足立区の外側からやってくる不良たちにもしっかりと共有されている。

「足立の花火」は、ヤクザにとっても大事なイベントだ。この日は足立区中の人間が一堂に会するため、不義理をして組織から飛んだ人物などを探すのにうってつけなのだ。

僕自身も、花火大会でヤクザに攫《さら》われた経験がある。

20年近く前、僕は新宿のあるクラブに出入りしており、そこでＭＤＭＡの売人をやっていた。最初は１００発を10万円で仕入れて捌いていたのだが、徐々に薬漬けでおかしくなっていった僕は、ある時一気に５００発を仕入れてその代金を払わず、飛んでしまった。

当然仕入れ先を辿っていけばヤクザに行き着くわけで、僕の情報は一瞬で新宿から足立区の地元にまで回ることになった。

その年の花火大会に仲間たちと出かけて遊んでいたところ、ふいに後ろから肩を叩かれた。振り返ると、地元のヤクザの先輩２人の姿があった。

体温を感じられない、能面のような表情。射るような視線が僕に向けられていた。

祭りの喧騒が遠ざかり、血の気が引いていくのを感じた。靄《もや》がかかった頭の中に、先輩の声が冷たく響く。

「例の件、わかるよね?」

直観的に〝殺される〟と思った。

「はい、わかります——」

足がガクガクと震え、全身から不快な脂汗がにじんだ。

全部終わった……。僕はすべてを観念した。


連行される車中。先輩たちは妙に優しかった。

「俺たちなら大丈夫だから話してみろ」

「正直に話してくれたら先方にも口利いてやるからさ」

明らかに僕にすべて吐かせるための手口だが、当時の僕にそんなことはわからず、何もかも包み隠さず話した。

もしかしたら、このまま謝って終わるかもしれない。

この期に及んで、頭のどこかでは呑気なことを考えていた。

当然、そんなに甘い話ではなかった。車はどこかのマンションに到着し、僕の身柄はそのまま新宿のヤクザに引き渡された。用が済むと、地元の先輩たちはとっとと帰ってしまった。

「ほら、コレやるから飲んでみろよ」

「金が好きなんだろ？」

口の中に小銭を放り込まれ、無理やり飲まされそうになった。しかし、実際に飲もうとしても身体が拒絶してしまい飲み込むことができない。それならと口の中に小銭が詰まった状況でさんざん殴られた。口の中はすぐに血でいっぱいになった。

さらに代わる代わる「不義理をして飛んだやつが捕まったらしい」という話を聞いた人たちが集まってきて、その度に殴る蹴るの暴行が繰り返された。落としどころをつけるなんて話ではなかった。

暴行が落ち着いたかと思うと、今度はベランダから逆さまに吊るされ、脅かされた。

「ここから落ちて死ぬか？　その方が楽になるだろ？」

正直、こんな仕打ちが続くなら死んだ方がマシだと思った。

明け方になって「300万円払え」という条件が提示された。そんな大金はなかった。なんとか100万円を用意することで納得してもらって、僕はようやく解放された。ここまで間近に死を感じたのは、初めての経験だった。

僕のような目に遭いたくなければ、後ろ暗い過去がある人が「足立の花火」に出向くことはおすすめしない。今でもあのときベランダから吊るされたときに見た光景は冷や汗をともに思い出すことができる。

・足立区重大事件簿（3）

竹ノ塚駅の「開かずの踏切」

竹の塚にはかつて、「開かずの踏切」が存在した。

特に通勤ラッシュ時には1時間に数分しか開かないこともあり、地元でも有名なスポットだった。

お年寄りが渡りきれずに線路内に取り残されたり、待ち時間に苛立った通行人が駅員に罵声を浴びせたりと、度々トラブルも起こっていた。

僕もこの踏切を利用していたが、どうせ待つならと仕方なく遠回りをすることも少なくなかった。10回に1回ぐらいはタイミングよく渡れたが、あまりに不便すぎる。

2005年には、この踏切で大きな事故が起こってしまった。

あまりに待ち時間が長いことに腹を立てた通行人が駅員を罵倒。恐怖を感じた駅員が安全確認をせずに踏切を開けてしまったところに電車が侵入し、逃げ遅れた老人と電車が接触、死亡してしまったのだ。

そしてこの事故の10年後。

僕の後輩も開かずの踏切で事故に遭い、命を落としてしまった。

1日午前10時10分ごろ、東京都足立区内にある東武鉄道伊勢崎線の踏切で、警報機や遮断機が作動した後に踏切内へ進入した軽乗用車と、通過中の急行列車が衝突する事故が起きた。この事故でクルマは大破し、運転していた25歳の男性が死亡している。

警視庁・竹の塚署によると、現場は足立区竹の塚1丁目付近。踏切には警報機と遮断機が設置されている。軽乗用車は警報機や遮断機が作動した後に踏切内へ進入。直後に通過した上り急行列車（南栗橋発／中央林間行き、10両編成）と衝突した。

クルマは軌道外に押し出されて大破。運転していた同区内に在住する25歳の男性は近くの病院へ収容されたが、全身強打が原因でまもなく死亡した。列車の乗客乗員約１００人にケガはなかった。

現場は「開かずの踏切」として知られ、２００５年には横断者が関係する死亡事故が発生している。死亡した男性は踏切待ちの最中に居眠りをしていたという目撃情報もあり、警察では事故発生の経緯を詳しく調べている。

（出典：https://response.jp/article/2015/03/05/245805.html）

後輩が事故に遭った前日、竹の塚で先輩の誕生日会が開催されていた。僕も含め大勢が集まったその会は大いに盛り上がり、解散したのは次の日の朝7時ごろだった。

その誕生日会で一番後輩だった彼は、先輩達を盛り上げようと大量の酒を飲んでいた。

「絶対に車で寝てから帰るんだぞ」

店を出る時、全員で彼に口酸っぱく言い聞かせた。

僕もだいぶ酔っ払っており、そのまま家に帰ってベッドに倒れ込んだ。ウトウトして眠りに落ちる寸前、携帯電話の着信音で目が覚めた。表示を見ると、さっきまで同じ居酒屋にいた先輩からの着信だった。

「あいつが踏切で電車に跳ねられて死んだ」


そんな馬鹿な……。

頭の中が真っ白になった。

他の仲間からも次々に連絡があり、僕たちは後輩が運び込まれた病院に駆けつけた。

病院に着くと、彼の母親が大声で泣いている声が聞こえた。ベッドに横たわる後輩の顔は、青白い照明に照らされていた。なんでだよ、意味わかんないよ。僕たちはその姿を呆然と見つめることしかできなかった。

後輩が運転する車はなぜか、自宅とは反対方向の踏切を渡って電車に跳ねられていた。後で聞いた話だと、開かずの踏切につかまってしまった彼は、長い待ち時間の間に居眠りをしてブレーキから足を外してしまい、そのまま線路内に侵入してしまったところへ来た電車と接触したということだった。

数時間前には一緒に楽しく酒を呑んでいたのに、こんな事があるのか。あまりの急な出来事に、頭が追い付かなかった。

もちろん、酒を呑んで運転した後輩が悪い。でも、これがもし開かずの踏切ではなかったら、後輩は死んでいなかったかもしれない。思わずそんなことを考えてしまう。

後日、ニュースにも取り上げられ、駅の近くということもあってか、現場には多くの人が押し寄せた。花やお供え物が大量に置いてあり、たくさんの方が手を合わせに来てくれていたんだということがわかった。

後輩が踏切事故で亡くなってから7年。２０２２年3月20日に、東武スカイツリーライン竹ノ塚駅周辺の高架切替工事が完了した。

開かずの踏切が、ようやく解消されたのだ。

かつての「開かずの踏切」の様子

約10年をかけて行われてきた取り組みがようやく実を結んだことで、地域の盛り上がりもひとしおだった。

現在も駅周辺には「ついに達成！ 踏切のないまち竹の塚」というポスターが張り出されている。竹の塚にとっての悲願だったのだ。

こうして竹の塚から開かずの踏切は無くなった。踏切が無くなったことで、事故の現場は現在跡形もなくなっている。

これから時間が過ぎていけば、後輩のことも徐々に忘れられてしまうんじゃないかと悲しい気持ちになったりもするが、これで二度と同じような事件が起きないのだと思うとホッとするのも事実だ。

あの日から、車に乗ると後輩の顔が浮かぶようになった。

僕自身は決して後輩の事故のことは忘れない。

・足立区重大事件簿（4）

足立区とオウム真理教

１９９５年3月。東京都心を走る電車内にて、猛毒であるサリンが撒《ま》かれた無差別テロ、いわゆる「地下鉄サリン事件」が起こった。

14人が死亡し、６０００人以上の負傷者を出したこの事件は、主犯である松本智津夫《まつもとちづお》（麻《あさ》原彰晃《はらしょうこう》）元死刑囚を教祖とする「オウム真理教」の異様な存在も相まって、当時の報道では大きく取り上げられていた。有名な事件なので、若い読者でも知っている人は多いだろう。

事件発生当時、僕は小学4年生だった。その数年前に「とんねるずの生でダラダラいかせて!!」という番組に出演していたため、麻原彰晃の名前はすでに知っていた。当時の麻原彰晃は座った状態で体を宙に浮かせるという技を披露しており「変わったマジシャンだな」というぐらいにしか思っていなかった。

その人が起こした凶悪事件ということで、子どもながらに興味を持った。

テレビカメラなどが来ている近くのオウムの事務所を、友達と自転車に乗って見に行ったこともあった。


僕が通っていた小学校にも、信者の子どもがいた。

事件のあとには「オウムの娘がいる」という噂が広がり、たちまちイジメのターゲットになった。その親が授業中に学校によく来ていて、「ウチの娘がイジメられている！」と散々先生に対して怒鳴り散らしていたので、噂は広まる一方だった。

当時、麻原彰晃の名前をもじった歌がニュースで何度も流れており、僕たち生徒はその歌をリコーダーで吹いては先生に怒られていた。子ども特有の、本当にデリカシーのない行動だったと今となっては反省している。

信者の娘だと言われていた同級生の女の子は、事件から3カ月程でいつのまにか学校には来なくなっていた。今思えば、生徒だけでなく先生からも酷いイジメを受けていたような節があった。

「私たちのまちにオウムは要らない」

竹の塚には、こんな文言が書かれた旗が今も街中に掲げられている。

事件から時間が経った現在も、オウム真理教は名前を変えたり分裂したりを繰り返して存在している。そしてそのひとつである「アレフ」が拠点《きよてん》にしているのが、何を隠そう足立区だ。足立区では反対運動が起こっていて、２０１３年11月には「オウム反対」を訴える街宣車が教団の事務所に突っ込むという過激な事件も起きている。

ちなみに教団のある保木間の近くには「花畑団地」という団地があり、ここにはあの「酒鬼薔薇聖斗《さかきばらせいと》」が住んでいると週刊誌で大きく取り上げられ、話題になったことがある。

街中に掲げられた“オウム反対”の旗

1997年、神戸で起きた連続児童殺傷事件の犯人だ。こちらも地下鉄サリン事件と同様に有名な事件なので、ご存知の方がほとんどだろう。

足立区は凶悪犯が身を隠すのに便利な街なのか？　あるいはただの偶然なのか？

それは分からない。ただ僕も、地元にそういったイメージがついてしまうのは悲しいし、もっと住民が安心して暮らせる街になって欲しいと強く思う。

逮捕されたオウム真理教幹部・上祐《じょうゆう》氏の発言によると、実行には至らなかったがヘリコプターからサリン70トンを撒くという計画もあったらしい。当時の人類すべてを殺害できたと言われるほどの量だ。教団はそのためのヘリコプターをすでに購入していたと聞いて、唖然とした。

もし令和のこの時代に、似たようなテロ事件が起こってしまったらどうなるだろうか？　ＳＮＳで拡散された動画が人々の不安を煽り、ネット上では過激な犯人・信者探しが行われ、それによって罪のない人までもが不当な扱いを受ける……。こういった負の連鎖を想像するのは、あまりに簡単だ。

オウム真理教がアレフと名前を変えた現在も、足立区、特に入谷というエリアに住む人々は常に教団に対する不安や恐怖と隣合わせにある。

◆アレフの足立入谷施設前での抗議行動（抗議文読み上げ）

令和５年３月25日（土曜日）、足立入谷地域オウム真理教（アレフ）対策住民協議会による第

28回目となる抗議行動（抗議文読み上げ）が行われた。これまでは比較的天候に恵まれた中で実施してきたが、あいにくの雨の中での決行となった。

コロナ禍のため昨年11月に行った第27回抗議行動と同様、協議会役員による抗議文の読み上げを、足立区長、足立区議会議長、足立区議会オウム真理教対策議員連盟会長など約40名が参加し実施した。

拡声器を使い「オウム真理教とは何か。一般家庭を破壊し信者獲得してきた集団。親兄弟、親姉妹と絶縁させた団体。地域社会から承認されない団体。」「隣に生活していると思うと地域住民の不安は消えない。」（中略）

「令和6年は観察処分更新の年であり、我々は、令和5年4月より全国の同志と共に観察処分の更新を求める署名活動を行っていく。」「我々は『オウム反対、アレフ反対、絶対反対』をスローガンとしてアレフが解散するまで全国の同志と共に戦い抜く。」と力強い言葉で締めくくり、抗議文をポストに投函した。

（https://www.city.adachi.tokyo.jp/hodo/houdou230325.html）

アレフに対する抗議活動は何年も続いているが、いまだ教団が撤退する様子はないようだ。

事件当時、教団にいたオウム真理教信者のほとんどが、すでに50代を超えている。僕が心配してるのは、その信者の子どもたちの世代がまた悪い影響を受け、さらに凶悪化しないだろうかということだ。

事件から時間が経ったいま、信仰だけでその人自身を差別することはしたくないが、できることなら解散および足立区からの撤退をして欲しいというのが正直な気持ちだ。

・足立区重大事件簿（5）

足立区の大麻事情

「息子のタバコは止めるけど、大麻だったら何も言えないな」

これは、未成年の息子を持つ友人が言っていた言葉だ。逆ならまだしも、息子が大麻を吸っていても注意ができないというのはかなり衝撃的な発言だった。

これはつまり、足立区ではそれだけ大麻が「当たり前のもの」として浸透しているということだ。

現在はＳＮＳの普及などにより、裏社会に通じていない人間でも簡単に大麻を手に入れることができてしまう時代だ。違法薬物使用者の低年齢化については、世間でも活発に議論がなされている。

大麻や覚醒剤が昔よりカジュアルなものになっている昨今だが、足立区においては、世間がこのような流れになるずっと前からその兆しがあった。特に大麻に関しては、少し大げさに言えばタバコと同じような認識で半ば当たり前に流通していたと言っていい。

僕らが遊んでいたころの大麻は、海外からのいわゆる「インポート物」が多かった。大元にはヤクザがいて、そのヤクザが仕入れてきたものを下部組織に投げて流通させていく、という感じだ。

そうやって回ってきた大麻を、僕たちは1グラム5000〜6000円くらいで買っていた。

初めて大麻を吸ったのは、中学生のときだった。

場所は、地元にあるカラオケボックスだ。そのカラオケボックスは、仲間内でこっそり悪いことをするときに使っていた場所だった。暴走族に入っていた仲間の先輩のヤクザから買ったネタを、みんなで持ち込んだ。

空き缶を使って即席の喫煙具を作り煙を吸い込んでみると、はじめは気持ち悪くなってしまったが、そのうちに慣れて楽しめるようになってきた。

それから僕たちはネタの管理係を持ち回りで決めて、仲間内で集まってこっそり大麻を楽しむようになった。毎日のように吸うことはなかったが、それでも学ランににおいが染み付いてしまってとても苦労した記憶がある。

先輩から仕入れた1グラムで数週間楽しみ、なくなったらまた先輩に頼みにいくというのがお決まりの流れだった。先輩がネタを用意できないときには池袋まで足を延ばして、馴染みのイラン人から買ったりもしていた。

当時はまだマジックマッシュルームが合法だった時代で、僕らにとって大麻もそれと同じような認識だった。

今で言うところのCBD（大麻由来の成分。リラックス効果などが期待でき、グミやオイルなどさまざまな形で販売されている）のようなイメージだったと言えば、なんとなく伝わるだろうか。

「キノコが大丈夫なんだから、葉っぱも大丈夫だろ」

くらいのノリだったと思う。ちなみにキノコも同じように試してみたが、こちらはあまり合わずにすぐやめてしまった。


当然僕らはカラオケ店から目を付けられていて、飲み物を運んできた店員に吸っているところを見られたり、「変なにおいがする」と言って通報されるようなことも日常茶飯事だった。

しかし今でも不思議に思うのだが、僕らが警察に捕まることは一度もなかった。

カラオケ店のすぐ近くに交番があり、通報が入るとそこから警察が駆けつけることになっていたのだが、店から出て猛ダッシュをすれば、毎回なぜか逃げ切ることができた。当時のことを思い出してみると、心なしか警察の追跡も甘かった気がする。

これは僕の勝手な推測でしかないが、おそらく警察側も中学生の大麻くらいでいちいち逮

大麻の取引によく使われていた路地裏

捕を繰り返すのが面倒だと思っていたのではないだろうか。逮捕にはさまざまな書類を準備する手間がかかるため、警察もわざと「逃げられた」ということにして僕らを見逃していたのかもしれない。

ガキのころ先輩から回ってくるのは種や枝がたくさん入った粗悪なネタだったが、中学を卒業し社会に出ると、その質も少しずつ上がっていった。当時の僕は新宿で悪い仕事をしていたので、ある程度の金を持てるようになっていたのだ。

綺麗にプレスされたアムステルダム産のバッズ（大麻の花穂《かすい》を乾燥させたもの）を初

めて手にしたときは目を見張った。キラキラと光っているみたいで「これが本物か」と、妙に感動したのをよく覚えている。

金もあり調子に乗っていた僕はそれを仲間にも回し、クラブに遊びに行く前などはよくみんなで楽しんでいた。


冒頭に、「息子の大麻は注意できない」と言った友人について書いた。僕はしばらくの間、彼や彼の家族関係が特殊なだけだと思い込んでいたが、どうやらそうでもないということが最近分かってきた。

これはまた別の友人から聞いた話だが、近ごろは親子揃って大麻を楽しんでいるという家庭も珍しくないと言うのだ。

「吸うなら家の中でな。外だと捕まるから気を付けろよ」

などと、息子想いなのか何なのかわからない教育をしている家もある。

いくら他の地域に比べて大麻が普及していたとはいえ、僕らが子どものころには親とそんな話をするなんて信じられないことだった。

「ネタが無かったら、息子に代わりに引いてきてもらったりするんだよ。普通の家庭で言えば、一緒に酒飲むみたいな感覚かな?」

そう言って友達は楽しそうに笑った。

第三章　僕が見てきた足立区

・僕が見てきた足立区（1）

この街に生きる不良たち

地元で知らない人はいないほど有名な不良はどの地域にもいる。足立区も例外ではない。ここではその人物を紹介したいのだが、その前に足立区における不良の階級・勢力図を整理しておこう。

はじめに、いわゆるヤンキーと暴走族はかなり近い存在であり、これはほぼ同義と言っていい。学校でやんちゃをしていた子たちが徐々に上の世代と繋がるようになり、単車《たんしゃ》（バイク）で街を走り回るようになる。

暴走族側は常に有力な下の世代を傘下にしようと考えているし、一方でヤンキーはより名前を上げることができそうな大人の世界に憧れを持っている。

ある意味win-winと言える条件が揃っているわけで、ヤンキーと暴走族の関係性はすごく密接なものだ。

では、そのさらに上の存在であるヤクザはどうか。

一般的に、力のある暴走族のメンバーがヤクザにスカウトされてそのまま本職になるというケースをよく聞く。足立区でもそのルートが存在していないことはないが、実はここのパイプはそこまで太いものではない。

というのも足立区においては、ヤンキー・暴走族とヤクザの間にはかなりの距離があるのだ。ヤクザは不良のヒエラルキーにおけるトップとして、非常に大きな力をもって存在している。

この決定的な「差」は、他の地域では見られることがないほど大きい。

ヤクザの力を間近で感じた出来事がある。

僕が20歳前後のときの話だ。僕たち不良の下っ端には、上から回ってきたいわゆる「パー券」を売り捌くというシノギがあった。パー券とはパーティー券の略で、その名の通り会合に参加するためのチケットのことを指す。このチケットを先輩から売りつけられ、僕たちはそれにまたいくらかの金額を上乗せしてさらに下の世代に売りつける、というわけだ。

僕たちのころは1万円で回ってきた券を1万5000円で流す、というのが大体の相場だった。決して安くはない金額だし、捌くのにかなり苦労した。

しかし、これがヤクザともなると話は別だ。

ヤクザになった同い年の友だちは、2000～3000円くらいの格安で引っ張ってきた券を、1万円で流していた。これならより効率よく稼ぐことができるし、さらにヤクザは自分で発行したパー券を撒くこともできた。要はただの紙切れを売りつけて、金に換えることができるのだ。とんでもない錬金術である。

同じような学生時代を過ごした同級生なのに、ヤクザになるとここまで差がつくのか、と思ったものだ。

「今月キツいんで何とかなりませんか」

と、その友だちに頼んだこともある。いくら同級生であっても、ヤクザになった人間には敬語で話すことが義務付けられていた。

このようにヤクザが絶対的な力を持つ地元において、それに負けず劣らず影響力を誇る先輩がいた。その先輩（以下、Aさん）は、地元で代々続く有力な家系の息子だった。

Aさんはその強力な後ろ盾と潤沢な金を使って、地元では好き放題していた。

たとえばとある場所に古い木造のアパートがあったのだが、そのアパートは大麻や薬物のジャンキーたちの巣窟《そうくつ》になっていた。

Aさんが繋がっているヤクザから引いてきたネタを、1階は大麻、2階は覚醒剤というふうに分けて次々と売り捌いていたのだ。竹の塚の不良たちはそのアパートに立ち寄ってネタを仕入れてから、薬物をキメて遊びに行くというのが恒例になっていた。

当然そんなことをしていると警察から目を付けられるし、実際Aさんは何度も逮捕されては出てきてというのを繰り返していた。現在は50歳くらいになっていると思うが、今でも地元でその力を存分に振るっていると聞く。

こう書くとAさんはとんでもなく暴力的で危ない人のように思われるかもしれないが、実は僕も含め周りの人間はAさんから手を上げられた経験は一度もない。身体が大きくすごく怖い見た目はしているのだが、本人は意外と穏やかで優しいのだ。

ではなぜ、みんなAさんの言うことを聞くのか？

周りの人間が怖かったからだ。

強い権力のもとには、たくさんの人間が集まる。その中でも一番怖かった先輩にはふたつ好きなものがあった。

覚醒剤と拳銃。

これ以上ない最悪の組み合わせだ。

遊びか本気か分からないが、覚醒剤でキマった目で「殺すぞ！」と言って拳銃を向けられたときは生きた心地がしなかった。

・僕が見てきた足立区（2）

ヤクザマンション

足立区・竹の塚には、「ヤクザマンション」と呼ばれる有名なマンションがある。その名の通り、ヤクザが数多く住んでいるマンションである。

ヤクザマンションは、普通の住宅地に建っている。5階建てくらいの小規模なもので、いわゆる高級マンションのような雰囲気ではないため、ヤクザになりたてのチンピラや、年配の金を持っていないヤクザの居住者が多い。

地元の人間は、極力ヤクザマンションには近寄らないようにしている。常に刺青まみれの男が半裸でウロウロしているし、非常階段からは物騒な怒号が聞こえてくる。僕の知り合いには、目があっただけで車で追いかけ回されたという人もいた。これでは怖くて近寄りたくないのも当然だ。

ヤクザマンションには、有名な「ヤバい人」も何人かいた。一番恐ろしいのは、〝飛び跳ねオヤジ〟だ。

そのオヤジは2階のベランダから下に停めてある車に飛び降り、奇声を発しながら車の上を飛び跳ね続けることで知られていた。しかも、全裸でだ。

身体中に刺青が入っているため、周りの人間も怖くて注意ができなかった。ある時から急に見なくなったが、その行方は誰もわからない。

何日間もぶっ続けで、マンションの前に停めてある車を磨いているオヤジもいた。シャブをキメると異常な集中力でひとつの物事に熱中してしまう。そのオヤジもシャブ中だったのだろう。

大雨の中、血走った目で一心不乱に車を磨き続けるオヤジを見たときは、さすがに寒気が

マンションの目の前にある公園。広くていい公園なのだが……

した。

ヤクザマンションの目の前には、公園があった。そこそこの広さがある立派な公園で、立地さえ良ければ子どもたちの定番の遊び場になっていただろう。

しかし、その公園で遊ぶ子どもの姿はほとんど見かけなかった。各家庭の親が「あの公園には近づくな」と言って聞かせていたのだ。たまに子どもを見かけたとしても、何も知らない子が遊びに来ている程度だった。

ある時、その「何も知らない子」がマンションに住むヤクザに連れさられるという事件が起きた。被害者は小さな女の子だったが、

「おじさんと一緒に遊ぼうよ」

などと声をかけられ、部屋に連れ込まれた。

近隣の学校にはすぐに情報が回り、〝あの公園には絶対に近寄らないように〟と厳重注意が行われた。同時に、子どもたちには防犯ブザーを携帯することが義務付けられた。


僕も、その公園で中年ヤクザに絡まれた経験がある。

当時中学生だった僕は、その公園で他校の不良とタイマンをすることになった。人はめったに近寄らないし、ある程度の広さはあるしで、ちょうどよかったのだ。

取っ組み合いの喧嘩をしていると、マンションからヤクザが下りてきた。大声で喧嘩をしている声を聞いて出てきたのだ。

「何してんだ、やめろ！」

喧嘩を止めたヤクザは僕の相手に何やら話しかけていたが、僕はそれどころではなかった。相手のパンチで眼鏡がどこかへ吹っ飛んでしまい、それを探していたのだ。

僕の様子に気づいたヤクザは、

「なんだ、眼鏡探してんのか。俺も手伝ってやるから。ほら、お前はもう帰れ」

喧嘩相手を帰らせて、一緒に眼鏡を探してくれた。

無事見つかって礼を言うと、僕はその公園をあとにした。


その日の夕方。

別の用事でもう一度公園の前を通った僕は、自分の目を疑った。ヤクザはまだ、僕の眼鏡を探していたのだ。

「あの、さっきはありがとうございました」

内心ビビりながらも声をかけるとヤクザは激怒した。

「なんだ、眼鏡見つかったんなら言えよ！」

お礼が聞こえていなかったのか、クスリでおかしくなっていたのかはわからない。ヤクザは「ふざけんじゃねえぞ！」と叫びながらマンションの中へ帰っていった。

僕は直接入ったことはないが、実際にマンションに入ったことがある友だちがいた。マンションにはヤクザが経営する人材派遣の会社が入っており、そこに登録していた友だちは事務所に給料を取りにいく必要があったのだ。

「あの中は魔窟だ……」

友だちは暗い顔で感想を語った。

大量のシャブ中やヤクザがウロウロしており、いつ襲われるかわかったものではないというのだ。「ドス持ったゾンビが歩いているバイオハザードだった」。ヤクザの顔見知りがいた友だちは何事もなく助かったというが、おもしろ半分で足を踏み入れていい場所ではない。

ヤクザマンションは、いまでも異様な雰囲気を放ちながら竹の塚に建っている。

・僕が見てきた足立区（3）

不良のファッション事情

ヤクザというのは、とにかく「新しいモノ好き」な人たちだ。

新しいテクノロジーやシステムが発表されるとすぐさま飛びつき、とりあえず試してみる人が多い。「上手く利用して金儲けができないか？」と考えているのだ。仮想通貨が一般社会で流行する前も裏社会ではいち早く手を出して大金持ちになった人が続出したし、タピオカ屋をヤクザが経営しているという話を聞いたことがある人もいるだろう。

このような「新しいモノ好き」な性格は、ファッションに対しても同じことが言える。なかでも足立区のヤクザの人たちは、周りよりも流行を取り入れるのがひと際早かった印象がある。

わかりやすいのは、ジャージのセットアップだ。

僕が中学生だったころ、不良の間では「サンタフェ」や「ガルフィー」というブランドのジャージが大流行していた。

現在はリバイバルされて若い人も着られるようなオシャレなアイテムも増えているようだが、当時はもっと〝いかにも〟という感じのゴテゴテしたデザインだった。犬が骨をくわえたガルフィのデザインは強烈なインパクトを与える。

足立区のヤクザはほとんど全員サンタフェかガルフィーのセットアップを着ていて、すごくかっこよく見えた。僕ら中学生もそれに憧れて、真似してジャージを着るようになった。ただ、サンタフェもガルフィーも中学生にとっては高額だ。それでも着ることができていたのは、先輩からのお下がりの文化があったからだ。

ヤクザの人たちは、季節が変わって新しい商品が出るとすぐに買って着用しはじめる。その際に要らなくなった古いジャージが高校生の先輩たちに渡り、さらに高校生たちが着古して要らなくなったものが、僕たち中学生に回ってくるのだ。

僕らの手元に渡ってきたときには、ジャージはヨレヨレになっていたり、あちこちに汚れが付いていていたりする。僕たちはそれでも嬉しかった。というより、その方が嬉しかった。

僕らの中では新品のジャージより、喧嘩の血で汚れていたり、バイクで擦った痕があるジャージの方が「渋くてかっこいい」とされていたのだ。汚れていればいるほど、〝先輩からもらった〟というプレミア感が増すというわけだ。

そもそも先輩からお下がりをもらえるのは、名誉なことだった。先輩も自分が認めている後輩にしかジャージは渡さない。それを着ているだけで、「あいつはあの怖い先輩からジャージをもらった＝年上の不良に認められたすごいヤツだ」ということになって一目置かれることができた。

竹の塚の街を堂々と歩きたければ、お下がりのジャージは必須アイテムだった。

同じように持っていることがステータスとされていたのが、18金のネックレスだ。これも、ある程度名前がある不良中学生はみんな着けていた。

純金のネックレスともなると、ジャージのセットアップよりも高額な代物《しろもの》だ。これを手に入れるためには、喧嘩の強さと度胸が必要だった。足立区の不良少年の間では、「金ネックレス＝着けているヤツから奪うもの」だったからだ。

良さそうなネックレスを着けているヤツがいれば、

「生意気なモンぶら下げてんじゃん」

と絡みに行く。

喧嘩に勝てばそれを奪うことができたし、逆に負ければこちらの持ち物が盗られていく。それの連続だった。

つまり金ネックレスとは、不良との喧嘩に勝った証でもあり、「俺に勝てるなら奪ってみろよ」という自信の象徴でもあるわけだ。

学生にとっては、学ランの着こなしも非常に大事な要素だ。

僕らの世代は、短ランや長ランにダボダボのズボンというのが定番スタイルだった。僕は先輩からもらった2周りくらい大きな学ランを、長ラン風にして3年間ずっと着ていた。学校には一応通うつもりだったから、これが授業に出られるギリギリのラインだったのだ。刺繍入りの派手な学ランをもらっていた仲間もいたが、そいつは学校に入れてもらうことさえ許されなかった。

ちなみに不良が卒業式の日に刺繍の入った赤や白の学ランを着ているイメージもあると思うが、あれは普段用とはまた別で、卒業式用に特別に作るものだ。これも近くに専門店があり、3～4万円で作ってもらうことができた。

ファッション関係で言えば、刺青の話もしておく必要がある。

基本的には自分の好きなものだったり、雑誌やタトゥーショップに置いてあるサンプルから気に入ったものを入れてもらうケースが多いのだが、中にはもう少し意味を持たせた、ただのオシャレではない刺青（タトゥー）も存在する。

代表的なのが、自分のアニキやオヤジを真似た模様を彫るパターンだ。もちろんここで言うアニキやオヤジとは、ヤクザの組内での呼び名のことを指している。もっと気合が入ったパターンでいうと、そのアニキやオヤジの名前を自分の身体に彫ることもある。疑似的とはいえ、血縁関係を重んじ組織に忠誠を誓うヤクザならではの文化だなと思う。

こうして改めて不良のファッション事情を考えてみると、全体的に「先輩から受け継ぐ」ことが美徳とされ、重んじられていることがわかる。思えば僕も後輩に「学ランをください」と言われたとき、どこか嬉しい気持ちになったものだ。

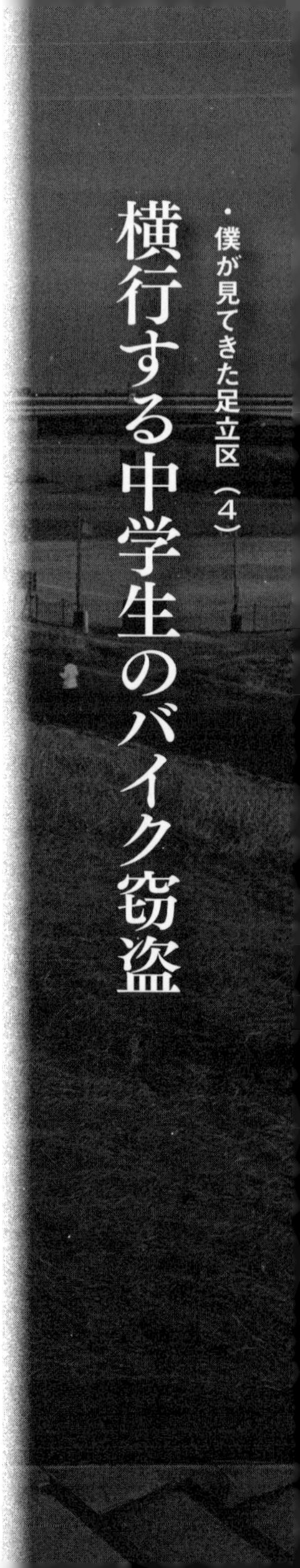

・僕が見てきた足立区（４）

横行する中学生のバイク窃盗

「キーボッコ」という言葉をご存知だろうか。

バイク窃盗のときに使うテクニックの名称だ。

キーボッコのやり方は簡単で、用意するものはハサミだけでいい。普通のコンビニに売っているような、何の変哲もないハサミだ。これを鍵穴に無理やり挿し込んでガチャガチャ回してやると、なんとバイクのエンジンがかかってしまうのだ。

中学のころ僕らがターゲットにしていたのは主に原付だったが、キーボッコのやり方はほぼ全員が知っていた。

「俺もキーボッコやってみたいんだけど」

と、不良でもないクラスメイトに頼まれたこともある。それくらい、足立区では当たり前のように浸透していたテクニックだった。

ヤンキーやバイクの文化に憧れたのは、小学生のときだった。きっかけは、家の近くにある本屋で立ち読みした『ろくでなしBLUES』だ。こんなにカッコいい世界があるのか、と衝撃を受けた。その日から「ろくブル」は僕のバイブルになり、早く自分もこのマンガみたいなことがしたい、と考えるようになった。

中学校は、周りのみんなが行くのとは別の、少し遠い学校に通うことにした。地元では有名なヤンキー校だ。僕は小学生のときから体重が１００キロ近くあって、学校では負け知らずだった。

絶対にヤンキーになろうと考えていた僕は「もっと強いヤツがいるところに行きたい」と昭和の空手家のようなことを考え、わざわざ治安が悪い学校に通うことにしたのだ。

中学でやんちゃしていると、自然と先輩との繋がりもできてくる。ある日僕は、先輩が運転する原付の後ろに乗せてもらえることになった。原付とはいえ、初めて乗る憧れのバイクだ。

先輩たちが乗っていたのは、「ZX」や「ZR」と呼ばれる車種だった。シートの後ろに〝羽〟と呼ばれる出っ張ったパーツが付いていて、それが本当に翼のようにかっこよく見えた。早く自分でバイクを運転してみたいという僕の気持ちは、どんどん大きくなっていった。そんなときに先輩から教えてもらったのが、キーボッコのやり方だった。

キーボッコを習得した僕たちは、毎日のように原付を盗みまくった。適当な1台を見つけて散々乗り回し、ガソリンが無くなるとまた別の原付を探す……この繰り返しだ。

ヘルメットは絶対に付けなかったし、当然のように無免許運転だった。パトカーに追いかけられても原付は小回りが利くので、簡単に撒いて逃げることができた。

バイクのカスタムもみんなで競うようにやっていた。

といっても、頑張って金を貯めて部品を買うなんてことはしない。良さそうなバイクを片っ端から盗んできて、目ぼしいパーツだけを拝借《はいしゃく》しては自分の愛車に取り付け、理想の1台を目指すのだ。

特にこだわっていたのが、エンジンの吸気効率を上げるパワーフィルターと、大きな音がするマフラーだ。この辺りをイジると、エンジン音が格段に良くなる。暴走族の先輩たちほどではないにせよ、爆音を出しながら街を走り回るのは当時の僕たちの楽しみだった。

そんな僕の生活は、中学を出てすぐに終わりを迎えることになる。無免許運転の車にひき逃げをされ、バイクに乗ること自体がトラウマになってしまったのだ。お互いかなりのスピードを出していたので、こちらの怪我は相当なものだった。前歯はすべて折れ、3カ月間ほどの入院も必要だった。

今思えばバイクで散々好き放題してきたことに対して、バチが当たったのだろう。その日以来僕は、バイクには乗らなくなった。

・僕が見てきた足立区（5）

河川敷で200人の合コン

足立区を語る上で、荒川の存在は欠かすことができない。

多くの川が流れる足立区のなかでもひと際大きな存在感を放ち、河川敷は休日になるとレジャーやスポーツを楽しむ人々で賑わう。この辺りに暮らす人にとっては、あらゆる意味で生活の基盤となっている川だ。

足立区の不良少年にとっての荒川は、

休日には多くの家族連れやカップルで賑わう荒川の河川敷

1. 喧嘩をする
2. 大きな集会を開く

主にこの2つのための場所だった。大きな喧嘩は、だいたい荒川の河川敷で行われた。街中だとすぐに警察や野次馬が集まってきてしまって、まともに動けなくなってしまうからだ。

初めて河川敷での喧嘩を経験したのは、中学生のときだった。暴走族に入っていた先輩たちに、「俺らこの日に喧嘩するから、お前らも見に来い」と呼び出されたのだ。

僕たちは自転車に乗って、指定された場所へと向かった。近くまで行くと、喧嘩相手のバイクが30台ほどずらっと並んでいるのが見えた。先輩たちはまだ来ていないようだ。中学生の喧嘩ではあり得ない規模と迫力に、僕たちは正直ビビっていた。

土手を下りていくと、僕たちに気づいた相手のチームがこちらをジロリと睨みつけてきた。

「来たぞ！」

「やっちまえ！」

ただのギャラリーとして呼ばれただけの僕らは喧嘩相手だと勘違いされてしまい、彼らが手にしていた金属バットやメリケンサックでボコボコに殴られた。

自転車は無惨に叩き壊され、打撲や骨折など身体にもたくさんの傷を負った。中には目を思いっきり殴られた仲間もいて、そいつは片目を失明してしまった。

途中でようやくやって来た先輩たちが間に入ってくれて、向こうの攻撃は収まったが、時すでに遅しだった。僕たちはとっくにボロボロで、しばらくまともに動けなかった。

少し時間が経ち、自分たちだけの喧嘩でも河川敷を使うようになってきた。

なかでも最も印象的だったのが、10対10で行われた他校との喧嘩だ。このような大人数でのタイマンは、「ごちゃごちゃのタイマン＝ごちゃマン」と呼ばれていた。これが自分にとっては初めての〝正式な喧嘩〟だった。

大人数で一斉に行う喧嘩は、最終的に勝敗がつけられないほど無茶苦茶になってしまうことが多い。最終的に誰かが「これ以上は危ない」「もうやめようぜ」などと言い出して自然とおさまってしまう。

漫画や映画の世界では喧嘩の後に相手と仲良くなるというシーンがよくあるが、あれは現実の喧嘩でも同じだ。

特にこのように大きな喧嘩を経験したあとは、異常なほど相手との距離が縮まることがあった。今でもこのころ喧嘩して仲良くなったことがきっかけで続いている友人関係もある。

ちなみにこういった喧嘩のきっかけは、ヤンキーのプライドうんぬんではなく、女の子が絡んでいることが多かった。

「あの中学の番長がかわいい子と遊んでたらしいから、そいつ倒して女の子もゲットしちゃおうぜ」

常にこんなノリで、僕たちはいろんな学校との喧嘩に明け暮れた。クソガキの考えることは浅はかで愚かしい。

そして河川敷を使うもうひとつの理由は、大きな集会を開くためだった。その中でも最も僕たちを熱狂させたのが、大規模な合コンだ。

「○月○日の夜中12時に、河川敷で100対100の合コンが開かれるらしいよ」

ある日、僕らの学校にこんな噂が流れてきた。出所は不明だが、どうやら確かな情報らしい。性欲を持て余した僕ら中学生男子からしたら、これ以上ないほど魅力的な誘い文句だった。

「行くしかないっしょ！」

誰かが言った。僕たちは雄たけびを上げた。

噂を耳にしてからおよそ1カ月後。

わくわくしながら河川敷に向かうと、確かに大勢の人たちが集まっていた。有名な不良高校に通っている先輩たちの姿もあった。

「マジで合コンあるんだ！」

噂は本当だったんだと喜んだ僕たちだが、違和感に気がついた。全体を見渡してみると、明らかに男の数が多いのだ。ちらほら女の子の姿もあったが、全体の9割以上は鼻息の荒い男たちが占めている。

しかも詳しく話を聞いてみると、

「合コンだとは知らなかった」

「100対100の喧嘩だと聞いて来た」

という奴らまで紛れ込んでいることがわかった。

どうやら噂が広まっていく過程で、元々の話が大きく捻《ね》じ曲がってしまっていたようだ。

結局女の子を取り合った不良たちがそこかしこで喧嘩を始めてしまい、会はそのまま白けた空気で解散となった。

「なんだよこれ。帰ろうぜ」

肩を落としながら、僕らもとぼとぼと帰るはめになった。

しかも、この100対100の合コンの噂はその後も定期的に流れて、僕たちは毎回ダマされた。つくづくクソガキの考えることは浅はかで愚かしい。

・僕が見てきた足立区（6）

「大人の遊園地」東京拘置所

足立区のほど近くに、東京拘置所がある。

正確な住所は葛飾区ではあるのだが、地元の人間からするとほとんど足立区と言って差し支えのないほどの位置だ。世間的にも「足立区＝治安が悪い」というイメージから、東京拘置所は足立区にあると思い込んでいる人も多い。

拘置所とは、刑事裁判の判決が確定した受刑者や死刑囚を収容する施設のことだ。

他の項目でも取り上げたオウム真理教の教祖・麻原彰晃氏もここに収容されていた。僕はまだ小さかったが、すごい数の報道陣が拘置所に詰めかけている場面をテレビでよく見ていた。子どもながらにあの施設にはあまり近づかない方が良いのだろうということはなんとなくわかっていたし、周りの大人たちも同じようなことを口を揃えて言ってきた。

「あそこは大人の遊園地だから、近づいたらダメだよ」

国道4号線から見える拘置所を見ながらそう言ったおばあちゃんの真剣な表情は、いまも忘れることができない。

僕はその教えを守って「大人の遊園地」には近づかないことにしていたのだが、小学校のころにその約束を破ってしまったことがある。

その日、よく遊んでいた友だちの家に行くと、いつもと雰囲気が違うのがわかった。

「これからお父さんの面会に行くんだ」

緊張した面持ちの友だちがそう伝えてきた。

行き先は、例の「大人の遊園地」。

「ルイ君も一緒に来る？」

よく理解できなかったが断ることもできず、なぜか僕もその面会に付いて行くことになった。

拘置所に向かう道中、友だちとそのお母さんはずっと泣きながら話をしていた。僕は会話に入っていくことができず、ただそれを眺めているしかなかった。みんなが言っていた通り、あそこは本当に怖いところなんだと思った。

東京拘置所がどのような施設なのか、きちんと理解したのは中学を卒業したあたりだった。中学を卒業すると鑑別所や少年院にいく仲間や先輩が増えてきて、その中には拘置所に入る人もいたからだ。

僕自身は拘置所に入った経験はないが、初めてひとりで面会に行ったのは20歳の時だった。新宿でいろいろな世話をしてくれていた僕の兄貴的な存在が、覚醒剤と傷害で逮捕されたのだ。

その先輩とは、新宿歌舞伎町にあるクラブのＶＩＰで出会った。ほとんど子どもだった僕に世の中の生き方や悪いことを一から教えてくれた人だ。

その先輩が逮捕されたのだから、顔を見せにいかないわけにはいかない。初めてのことだらけで心細い思いをしながら、僕は１人で東京拘置所へ向かった。

前日から、まるで遠足に行くような落ち着かない気分だったのを覚えている。

朝10時に拘置所に着くと、身分証を提示して先輩の名前をフルネームで書いた。すると番号が書かれた紙を渡され、目の前にある掲示板に自分の番号が出てくるのを待つように言われた。

番号が掲示板に出てくるまで、１時間くらいかかった。ようやく自分の番が回ってきたときには、緊張からくる疲れですでに身体が重かった。

廊下を何十メートルも歩いて二重扉をくぐり、いよいよ面会室に着いた。

扉を開けると、映画やドラマで見るような、アクリル板で仕切られた空間が広がっていた。あまりにイメージ通りの部屋で、少し驚いたほどだった。

少し待っていると、先輩が部屋に入ってきた。いざ対面するとドキドキして何を喋っていいのかわからず、気まずい沈黙が続いた。先輩には悪いが、早く時間が経ってほしいとさえ思っていた。

初めての拘置所での面会は、そんな風に終わった。

それから数年経つと、今度は先輩だけでなく僕の仲間たちも、闇金融や特殊詐欺などで捕まってしまい拘置所に出たり入ったりするようになった。このころは、1週間に1回は誰かの面会に行っている状態だった。

当時の僕は悪事で稼いでいることがかっこいいと勘違いしていたし、そうやって何度も仲間の面会に行くことも、どこか誇らしかった。

拘置所の中では何が買えるのか、本は何冊まで差し入れできるのかなど、出入りするうちに段々と詳しくなっていった。

そもそも僕は、小さいころからなぜか拘置所、ひいては犯罪者というものに興味があった。大人になってからも、大きな事件やニュースがあれば裁判の傍聴に出かけて行くほどだった。

整理券をもらう抽選のために並んだ経験も、何度もある。

悪いことに興味を持ったり憧れてしまうのは、特に若い人であればよくあることだと思う。しかし、だからといってわざわざ裁判の傍聴にまで足を運ぶ人間はほとんどいない。

僕がそういう人間になった直接的な原因は、おそらく幼少期の経験にある。


小学校3年生のころ、父親が覚せい剤取締法違反で逮捕された。

ある朝急にインターホンが鳴り、警察が部屋に入ってきてそのまま父は連れて行かれてしまった。あまりに衝撃的な経験で、その朝のことはいまだに鮮明に思い出すことができる。

その日から僕は、父を狂わせてしまった覚醒剤や、犯罪を犯してしまう人間の心理というものに興味を持つようになった。おそらくこの興味は、自分の父親がどんな人間なのか知りたい、ひいてはその血が流れている自分のことを知りたいという欲求からくるものだと思う。

犯罪によってどんな悲劇が起こるのか。

被害者はもちろん、加害者の家族にもどのような苦労や困難が降り掛かるのか。

成長していくにつれて、さまざまな犯罪の現実を目の当たりにしてきた。今では犯罪がかっこいいなどとは微塵も思っていない。この本でも書いてきている自分の行為をよくないことばかりしていた、恥ずかしいとも思う。

昔とは考え方が変わったが、いまだに東京拘置所に面会に行く機会はある。今でも逮捕されて拘置所の世話になる仲間はいる。彼らにはもうそんな真似はやめてほしいと心から思うし、面会では説得のために強い言葉を使ってしまうこともある。

そしてなにより、なるべく顔を見せに行くことで「外でみんなが待っている」という気持ちが伝わってほしいという思いがある。それこそが面会の本質ではないだろうか。

勘違いをしていた若いころとは違い、いまは少しずつそのことが理解できてきたと感じている。

・僕が見てきた足立区（7）

フィリピン人の「ボス」

前述したように、足立区は多くのフィリピン人が住む地域だ。

日本人向けのフィリピンパブはもちろん、足立区で働くフィリピン人をターゲットにした郷土料理を出す店も各エリアに点在している。

足立区で生活していると、フィリピン料理店の前にパトカーが停まっている光景をよく見かける。酒に酔ったフィリピン人同士が喧嘩をして、騒ぎを起こしているのだろう。

「足立区にフィリピン人が多い理由はよくわからないけど、仲間が多いからみんな自然に集まって来るんだと思うよ」

とフィリピン人のY氏の誕生会で聞いたという話を書いたが、ここではそのY氏について掘り下げてみたい。

Y氏は一帯のフィリピンパブをまとめ上げるリーダー的な存在であり、みんなから「ボス」と呼ばれ慕われている。一方でその素性はよくわからず、謎が多い人物であるというのもまた事実だ。

初めて顔を合わせたのは僕が20代前半くらいのとき、竹の塚にあるフィリピンパブ街でのことだ。

「兄弟！ うちの店で遊んでいってよ！」

声をかけてきたのがY氏だった。

背は小さいがガタイは良く、顔はキリッと整っている。僕たちのような不良でも関係なく声をかけてくれるような陽気な人、というのがY氏の第一印象だった。

実際Y氏は印象通りの人で、何度か会ううちに世間話を交わすようになった。こちらがネタを持っていたら「一緒にどう？」と声をかけて、みんなで吸うこともあった。僕らより年上だが、とにかくノリがいい人なのだ。

若いころ、よくY氏のフィリピンパブで飲んだ。サービスで安くしてくれる上に、女の子たちもみんな明るくて楽しいのだ。

店には僕ら以外にもチンピラ風の客やヤクザも来ていたので、Y氏はヤクザとも仲が良く、繋がりがあるようだった。

通常、フィリピンパブ街に立っているY氏のような黒服は、数カ月単位で入れ替わっていく。雇っている女の子のビザなどの問題で摘発され、捕まってしまうことも少なくないからだ。ところがY氏だけは、今でも竹の塚の路上に立ち続け、店も問題なく営業している。危険を察知する能力やバランス感覚に優れているのだろう。

Y氏は基本的にはすごく陽気で楽しい人なのだが、一度だけ怒ったところを見たことがある。

竹ノ塚駅前でのことだ。深夜、ロータリーでフィリピン人の女の子3人が揉めていた。Y氏の店で働く女の子たちなのだが、大声で酒瓶を振り回してかなりヒートアップしている様子だった。

　そこへ騒ぎを聞きつけたＹ氏が車で迎えにきた。

「店に戻れ！」

　Ｙ氏がクラクションを鳴らしながら注意をするが、喧嘩は一向に止まる気配がない。

　Ｙ氏が注意してダメならもう無理だろう。誰もが諦めかけた瞬間、あろうことかＹ氏はそのまま車を発進させ、女の子たちをまとめて轢《ひ》いてしまった。

　さすがに怪我をしないくらいのスピードではあったものの、車で突進して喧嘩をやめさせるなんてかなりの力技だ。

　呆然とする周囲の視線を一挙に浴びながら車から降りてくるＹ氏は、それまで見たことのないくらい怖い顔をしていた。Ｙ氏は静かな口調で女の子たちに言った。

「もう一回言う。店に戻れ」

　女の子たちはおとなしく従うしかなかった。

　もしかするとＹ氏はこういった「ヤバい面」を時々見せることでフィリピン人をまとめ上げているのかもしれないが、それにしてもすべてのフィリピン人に言うことを聞かせることは至難の業である。特にやんちゃなフィリピン人たちを手懐けるのは、なかなか骨が折れるはずだ。

足立区に住むフィリピン人たちのなかにも、当然不良っぽい人たちはいる。ただ、彼らが独自の不良チームを立ち上げることは許されていない。ヤクザが「そんなことをしたらココでは生きていけないぞ」と釘を刺しているのだ。

当然Y氏もそれは把握しているだろうし、自分の下の若い奴らにもよく言って聞かせているだろう。そのおかげか、普段はフィリピン人たちが徒党を組んで暴動を起こすような事態は避けられている。

しかし彼らがY氏の顔を立てることをやめ、開き直ってしまった場合はどうだろうか。暴れるだけ暴れて、あとは足立区はもちろん、Y氏のもとからも姿をくらましてしまえば、誰も追いかけることができない。いわば無敵状態になってしまうのだ。

実際そのようなケースはいくつか起きていて、男性が背後からビニール袋を被せられ、ボコボコの半殺しにされて発見されるという事件もあった。

これにはヤクザも手を焼いているようで、フィリピン人コミュニティとの上手い付き合い方を考え直す時期にきているのかもしれない。

・僕が見てきた足立区（8）

伝説のホームレス「ポポ」

足立区・竹の塚に40年以上住んでいる伝説のホームレスがいる。

通称ポポ。

なぜそのような呼び名がついたのかはわからない。僕が知ったときからポポはすでにポポと呼ばれていたから、それだけ長い間この地にいたということだろう。

初めてポポを目にしたのは、小学校低学年のころだった。

おばあちゃんにゲームセンターへ連れて行ってもらう途中、駅のロータリーで偶然ポポを見つけた。

ポポはまともな服を着ておらず、代わりにビニール袋を全身に巻き付けて駅前を掃除していた。おばあちゃんは、

「あんまりジロジロ見たらダメだよ」

と優しく諭《さと》してくれたが、僕は初めて目にしたホームレスの姿に強い衝撃を受けた。この人がなぜこんな姿で駅前を掃除しているのか、当時の僕には全く理解できなかった。


それから小学校の友だちと外で遊びまわるようになったある日、少し年上のお兄ちゃんが
「おもしろいモン見せてやるよ」と僕をある場所へ連れて行ってくれた。

「ほら、こいつポポっていうんだ。ルイも挨拶しろよ」

お兄ちゃんが指さした先には、あの日僕が見たホームレスの姿があった。

そのお兄ちゃんは、ポポは誰もが知っている存在だということ、ギャンブルで失敗して家がなくなってしまったのだということ、もう何十年もこの辺りに住み続けている人だということを教えてくれた。

周りからすれば、小学生が面白半分でホームレスにちょっかいをかけているだけだと思う

だろうし、僕にもそういう気持ちはあったが、その反面、僕は「世の中にはこんな人もいるんだ」と素直に驚いていた。

その日から僕は、だんだんポポのことを知っていった。ポポは絶えず竹の塚を歩き回り、あちこちを掃除していた。寝床は駅前に作って夜を過ごすということが多いようだった。

ポポは、その日の機嫌によって性格がガラッと変わる。

竹の塚の人間はみんなポポのことを知っているから、街で見かけると、

「ポポ何してんの？」

「元気？」

といつも声をかける。

機嫌がいいとポポは、人差し指と中指を立てながらこちらに近づいてくる。タバコをせがんでいるのだ。タバコを渡してやると「ありがとな」とボソッと礼を言い、上手そうに一服する。

ただ、機嫌がいいからと言ってポポとこれ以上のコミュニケーションをとれることはあまりない。ポポは上手くしゃべることができないからだ。こちらが何か質問しても、

「いや……」

「別に……」

と言葉少なであるし、たまに言葉を発してもすごくゆっくりで小さな声なので、こちらはなかなか聞き取ることができない。とはいえ別に怒っているというわけでもなさそうなので、僕らは「そういうものだ」と思って普通に接するようにしている。

問題は、機嫌が悪いときだ。

ポポは、意外と武闘派のホームレスである。

相手が小学生であろうがヤクザであろうが、虫の居所が悪いと「てめえこの野郎！」と誰かれ構わず追い掛け回してくるのだ。そのときばかりは大声で何かを喚きながらこちらへ向かってくるのだが、残念ながら上手く聞き取ることはできない。

このように怖い一面もあるにはあるのだが、ポポは基本的にはみんなから愛される、心優しいホームレスである。

その証拠に、ポポは一切働かずに周りからの施しだけで生活している。

ポポが炊き出しに並んでいるのを見たことがないし、それどころか、店の前を掃除して店主から5000円をもらったり、「ポポ、ウチに来なよ」と床屋に呼ばれて髪を切ってもらったりと、街の人々がポポをサポートしている場面をよく目にする。誰からもらったのか知らないが、たまにすごく良い服を着ていて驚いてしまうこともある。

このようにポポがみんなから愛されているのには、理由がある。

例えば歌舞伎町を例に考えてみると、この街のコンビニや飲食店は、〝ホームレスの入店お断り〟という店が多い。寒さや暑さを凌ぐために勝手に店内に入ってきて、そのまま居座ってしまうケースがあるからだ。

一方で竹の塚の店は、ホームレスであるポポの入店を拒否しているところは一軒もない。

ポポが普段から、人に迷惑をかけるような行為を一切しないからだ。

「迷惑をかけず、さらには掃除までしてくれているポポが困っているのなら、こちらも助けてあげよう」。周りの人間がこう思うのは自然なことだと思う。ポポの生活は、ある種ポポ自身の人柄で成り立っていると言ってもいいだろう。

もちろんポポが本当はどういう人間で、腹の中では何を思っているのかなんて誰にもわからないし、それを僕らが詮索する必要もない。

ただひとつ言えるのは、ポポは40年以上にもわたって足立区・竹の塚を見てきた生き字引であるということだけだ。

第四章　足立区で生きるということ

・足立区で生きるということ（1）

足立区でヤクザをやるということ

ここまで書いてきたように、足立区においてヤクザは強大な力を誇っている。自分たちの主張は必ず通すし、気に入らないものはどんな手を使ってでも握り潰す。

誰よりも影響力を持つ、絶対的な存在だ。

そんな足立区でヤクザとして生きていくというのは、どういうことなのか。

「ヤクザ」には、大きく分けて2種類ある。ひとつは、下積みから組に所属して成り上がっていく、正式な組員としての形だ。一般的に言われる「ヤクザ」とは、概ねこのケースを指すことが多い。

正式な組員になる方法としては、暴走族のメンバーがスカウトされるか、例のゲーム屋（24ページ）で仲良くなって引き抜かれるか、だいたいこの2つだ。いわゆる「部屋住み」と呼ばれる下積みを経て、徐々に一人前になっていく。

このパターンでヤクザになる人間は、言い方は悪いが〝犯罪しかできない〟タイプが多い。家庭の事情だったり周りの環境だったり、理由はさまざまだがとにかく居場所がない。取り柄も、やりたいことも特にない。だけど、悪いことはずっとやってきた。そんな若者たちがヤクザに拾われ、その恩を返すべく組のため／オヤジのために金を稼ぐ。かなり単純化した内容だが、これが大まかな構造だ。

このタイプのヤクザは、はっきり言ってあまり仕事ができない。自分で金を稼いでくるのが下手なのだ。近年は警察の取り締まりが厳しくなったこともあり、稼げないヤクザは組内での肩身も本当に狭くなったと聞いている。

ヤクザにとっては受難の時代だと言えるだろう。

その一方で最近力を持っているのが、ヤクザの「企業舎弟」だ。儲かっている組織にヤクザが声をかけ、企業舎弟という形で組に取り込んでしまうのである。

もちろんここで言う「組織」というのは、カタギの組織ではない。詐欺や薬の密売で稼ぐ、いわゆる半グレのことを指している。

企業舎弟になった半グレは組員としての下積みをすっ飛ばして、最初からある程度のポジションを与えてもらうことができる。ヤクザも結局は「稼いでいるヤツが正義」という組織なので、ある程度は実績が物を言うこともあるのだ。

厳しい下積みをしてきている組員は良く思わないかもしれないが、自分よりも稼いでいる相手に文句は言えない。結果的に今は、企業舎弟が大きな顔をしている組織が多いのだという。


ここまでは他の地域もおおよそ同じだと思うが、足立区が特殊なのはその先の話だ。

現在、地域によってはヤクザよりも半グレが大きな力を持っているケースも多々あるという話を聞く。しかもヤクザからは完全に独立した形でだ。

ある種しっかりとした秩序やルールがあるヤクザよりも、自由に動き回ることができる半グレが力を持つようになるというのは、頷ける話である。

しかし〝ヤクザが絶対〟の足立区では、そんな理屈は通らない。あらゆる利権や情報はすべてヤクザが握っているため、半グレも必ずヤクザを通さないと仕事ができないシステムが構築されているのだ。

そして金を持つということは、それだけ敵が増えるということでもある。半グレは組織が大きくなるにつれて、自分たちの金を狙う勢力から身を守ったり、情報を隠したりする必要が出てくる。そんな時にヤクザが、

「ヤクザの名前を使えば足立区では怖い物なしだよ」

と声をかけ取り込んでしまうというわけだ。

ヤクザは稼ぎ口が増えるし、半グレは身を守ってもらうことができる。win-win の関係性である。

しかも企業舎弟はあくまでビジネスライクな関係であるため、組の事務所に名札が置かれることもない。万が一構成員が一斉に逮捕されるようなことがあったとしても、正式に登録

をしていない企業舎弟はその手から逃れることができるのだ。

組員と企業舎弟には、組織から抜ける手続きにも違いがある。

まずしっかりと稼いでいる企業舎弟は、辞めるのも簡単だ。組にある程度まとまった金を手切れ金として支払い、それで終わりである。辞めたあとにヤクザから脅しや圧力がかかることもなく、カタギとして一般的な生活を送ることができる。

ただし上手く稼ぐことができなくなった企業舎弟は、そうもいかない。手切れ金を用意できないだけならまだしも、場合によっては組から「金を出せないなら正式な組員としてゼロからやり直せ」とお達しがきて、下積みからやらされることもある。

こうなるとかなり悲惨で、下積みでは稼げない↓もう一度詐欺に挑戦する↓失敗してさらに立場がなくなる、という最悪のループに陥ってしまう人間もいる。

金があるという前提付きだが、比較的簡単に組を抜けることができる企業舎弟に対して、正式な組員がヤクザを辞めようとすると、実に多くの障害がつきまとう。基本的に足立区のヤクザは、辞めたあとは地元で暮らしていくことができなくなってしまう。

ヤクザを辞める際には、企業舎弟と同じように多額の手切れ金が必要になる。

「少なくとも組の名前を使って稼いできた分は返してもらわないと困る」

これが組側の言い分だ。

しかしそもそもヤクザを辞めようとしている人間は、金を持っていないことが多い。稼ぐことができないから、ヤクザを辞めたいのだ。

組を抜けたいが、金はない。そうなると残された選択肢はひとつで、組から飛ぶしかなくなる。無断で足立区から行方をくらまし、その後は一切見つからないように生活をしていくしかないのだ。

実際、僕が歌舞伎町で働いている時期にも「足立区から逃げてきた」という元ヤクザを何人か見たことがある。

また、仮に金を用意できて綺麗に組を抜けられたとしても、足立区に残ることはほぼ不可能と言っていい。一般人からの復讐《カエシ》があるからだ。

「今まで散々でかい顔をしやがって」

と、彼らには彼らの恨みが溜まっている。

現役を辞めた途端に、一般人から襲撃されたヤクザの話はいくつも聞いている。裏を返せばそれだけヤクザが好き放題しているという証拠でもあるだろう。

ヤクザは力を持っているが故に、辞めるときにはそれ相応の覚悟と金が必要になる――。

これが、足立区アンダーグラウンドの絶対的なルールである。

・足立区で生きるということ（2）

暴走族の元総長

ここで紹介するのは、足立区では知らない人はいないほど有名な暴走族「青龍會」（仮名：以下チーム名、人物名も同様に仮名）でかつて総長をつとめた青田君だ。青田君は誰にでも優しく、誰からも愛される存在だ。

僕は周りの友人達が暴走族を始めた16歳のころ、ひとりで足立区を離れてしまったので、暴走族を経験していない。それどころか、単車にすら乗ったことがない。

ある時そんな僕が、青田君の貴重な話を聞く機会を作ってもらった。青田君の話は生々しく強烈で、門外漢だった僕でも当時の雰囲気をありありと感じることができた。

１９９６年から１９９９年にかけて、足立区の暴走族がどのような動きをしていたのか。

青田君の壮絶な人生を通して、その内幕に迫っていきたい。

青田君は14歳から空手を始めた。中3の5月には初めて出場した大会で準優勝をおさめ、そこから18歳になるまで全ての試合で優勝。加えて、大人を含めた大会でもMVPを獲ってしまうような実力者だった。

黒帯を取ろうと思ったら10年はかかる空手の世界で、青田君はわずか2年で黒帯を取得した。誰もが認める天才だ。

だがそんな青田君も、空手と出会う前は学校にも行かず、家でドラクエのゲームばかりやっていたという。いじめられていたわけではないが、学校生活にあまり馴染めなかったらしい。

そんな時に空手に出会い、無我夢中で練習に打ち込み、学校にも行くようになった。中学3年のころには、空手で鍛えた腕っぷしをヤンキー相手に試したくてしょうがなかったそうだ。

「なんでこんな弱そうな奴らがイキがってるのか、不思議でしょうがなかった」

当時を振り返り、青田君はそんなことを言っていた。

青田君は高校に入ると、喧嘩に明け暮れるようになった。

ただ普通の不良少年と違うのは、人の道に外れたことは絶対にしなかったということだ。女の子を連れていたら喧嘩もしないし、もちろん卑怯なこともしなかった。ただ己の強さだけを求めて、「地元で4本の指に入るぐらい有名になってやる」と高校1年生のときに決意をしたらしい。

17歳になると同じ高校の仲間と、地元の足立支部・青龍會に入る。

それからすぐに竹ノ塚青龍會が結成されて、青田君はナンバー3の特攻隊長に任命された。

僕が足立区を離れていた期間も、青龍會の名前はこちらまで轟いていた。

竹ノ塚青龍會はいろいろなチームと喧嘩しては勝利して、どんどん勢力を拡大していった。

そんな時、葛飾区の水元公園で抗争があり、青田君率いる竹ノ塚青龍會は殺人事件を起こしてしまう。

事件はニュースにも取り上げられ、青龍會だけで数十人の逮捕者が出た。その中にはチームのトップの名前もあったが、奇跡的に青田君は逮捕されなかった。

このことがきっかけとなり、これまで数々の喧嘩で貢献してきた青田君は先輩から、

「お前が頭をやれ」

と任命された。

総長の座についた青田君は、今まで以上に勢力を広げるために、暴れまくった。暴れに暴れて、地元で青田君の名前はどんどん広がっていった。素手の喧嘩はもちろん、相手がナイフを使えば取り上げて、躊躇《ちゅうちょ》なく刺しまくった。


ところがそんなイケイケの青田君も、竹ノ塚青龍會の総長を続けていくことが難しくなった。不良特有の縦社会に嫌気がさしてきたのだ。

当時、足立区には数チームの暴走族があった。

乱乱會や藁人形、足立東連合、そして武道會など、いくつも気合いの入った暴走族がある

なかでも、竹ノ塚青龍會は目立っていた。そして他のチームの人間も徐々に青田君の人間性に惹かれるようになり、いつしか一緒に行動するまでになっていた。

しかし青龍會の先輩たちは、他のチームとも仲良くする青田君のことをよく思わなかった。

「そいつらを取るか俺たちを取るか、どっちかにしろ」

2択を迫られることが増えていった。

青田君は、悲しくてしょうがなかった。

今まで体を懸けてきたチームの先輩からそんな事を言われるのだ。なぜどちらかに決める必要があるのか、青田君は悩み続けた。

青田君は最終的に、自分が所属する青龍會ではなく、別の暴走族の友人を取った。そしてそれをきっかけに、竹ノ塚青龍會を引退した。

「19歳で総長やってたころが、生きてきて一番辛かった」

青田君はそう言った。

根が優しい青田君は、暴力と面倒な縦社会にがんじがらめになる毎日に、本当に疲れていたのだと思う。

そんな青田君は、今でも空手に携わっている。足立区の子どもたちに、体育館で空手を教えているのだ。

僕自身も格闘技をやっているが、そのきっかけになったのは青田君だった。初めて空手をした日に、青田君から強烈なボディーを喰らい倒れたのを覚えている。自分がどれだけ弱いのか、空手を通して思い知らされた。

「空手を通して子どもたちに伝えたいことはありますか？」

話を聞かせてもらった日、僕は最後にこう尋ねた。

青田君は迷いなく答えた。

「俺はこれだけはブレずに伝えている。優しさこそが強さだ、と」

青田君らしいな、と僕は思った。

・足立区で生きるということ（3）

多様化する犯罪事情

先日、地元で飲んでいると、近くの席にかなり目立つ男が座っていた。手首までびっしりと入った和彫りの刺青を見せびらかしながら、周囲を威嚇するかのように大きな声で仲間と談笑している。

年齢はおそらく僕よりも下で、20代後半くらいに見えた。なにかと自分の力を誇示したい年頃なのだろう。実際身体も大きく、正直「絡まれたら勝てないかもしれないな」と思ってしまうほどだった。

ふとした流れで、その青年と話をすることになった。酒の席ではよくあることだ。

手始めに年齢を聞いてみると、その子はまだ中学を出たばかりの16歳だということが分かった。若いだろうとは思っていたが、これにはさすがに驚いた。

最近はHIPHOPが流行した影響からか、タトゥーは昔に比べてずいぶんとカジュアルなイメージに変化している。不良ではなくてもタトゥーを入れている人は、今では別に珍しくはない。

しかしこの子が入れているのは、本職のヤクザが入れるようなしっかりとした和彫りだった。本当にヤクザをやっているのならまだしも、聞けばその子は普通にカタギとして生活しているらしい。

16歳の若さでここまで彫っているなんて、僕らのころには考えられないことだった。

流行といえば、「ブレイキングダウン」をはじめとする格闘技も今の若い子には人気だ。その16歳の男の子も、格闘技を習うためにジムに通っているとのことだった。どうりで、身体が仕上がっているわけだ。

僕も格闘技をやっているので何となくわかるが、話していると「この子は見た目だけじゃなくて、本当に強いんだろうな」ということが十分に見て取れた。その辺を歩いているヤンキーやチンピラであれば喧嘩にすらならないだろう。

「最近の不良は群れなくても、個が十分強いんだよ」

と友人が言っているのを聞いたことがある。

正直言って僕らが学生のころは、年上の不良たちに怯えながら、それでもなんとか突っ張るために群れて威張っているのがやっとだった。

しかし今の子たちは違う。個人個人が鍛えている。しかも勝つためには躊躇なく武器を使うし、汚いマネもする。彼らは格闘技をやっているのではなく、喧嘩に勝つための手段として格闘技を使っているのである。

本職のヤクザからすると「半グレ」は無秩序すぎて手が付けられないこともあると聞くが、おそらくそれと似た現象が中高生レベルの不良のなかでも起きているのだろう。足立区のみならず日本の未来を考えて、僕はしばらく黙り込んでしまった。

現在は不良の在り方、もっといえば犯罪の種類や手法は多様化している。

これは同時に、悪いことをする・できる人間が増えたということでもある。

たとえばSNSの普及によって、大麻は昔よりも簡単に手に入るようになった。さらに近年では大麻の育て方や捌き方についての情報も簡単に手に入ってしまうため、ヤクザをまったく通すことなく大麻を販売して金を稼ぐことも可能になっている。

これによって今の中高生は大麻を吸うだけでなく、売る側に回っている子も増えている。

いわゆる「ヤンキー上がり」の子よりも、頭が切れて賢く捌くことができる子の方が儲けることができるのが今の時代なのだ。


女の子の稼ぎ方も、現在はどんどん進化している。

ニュースでもよく目にする「パパ活」や、「立ちんぼ」が良い例だ。このような手法自体はずっと前から存在していたが、これもSNSの普及によって「より手が出しやすくなった」と言う方が適切かもしれない。

現在僕は、深夜の新宿・歌舞伎町をパトロールする自警団を運営している。

歌舞伎町における自警団での活動の様子

毎晩パトロールをしていると、そのような女の子を何人も目にする機会がある。特に歌舞伎町のすぐ近くにある大久保公園は立ちんぼのメッカとされており、客を待つ女の子たちがずらっと並んでいることもある。

話を聞いてみると、彼女たちは客ひとりに対してだいたい2～3万円を稼ぐことができるらしい。それを一晩で複数人相手をするわけだから、それなりにやれば月に100万円以上稼げる計算になる。

これではバイト感覚で手を出してしまう子が後を絶たないのも無理はないのかもしれないな、というのが正直な感想だ。

さすがに大久保公園のようなスポットはないが、実は足立区においても女の子が一晩でそれなりの額を稼ぐことができるシステムが存在すると聞く。

代表的なもので言えば、女の子の斡旋だ。

例えばあるヤクザが、どこかのバーで飲んでいたとする。そろそろ女の子と飲みたいな、という時間帯になってくると、そのヤクザはある女の子に連絡をする。その子に金を払って頼みさえすれば、「この子にはなんでもしていいですよ」という女の子を見繕って寄こしてくれるというわけだ。このように、何人もの女の子を束ねる元締めのような存在がいるのだ。

技術の進歩と共に、日々進化を続ける犯罪の手口。

昔は不良のなかにもある程度の不文律やルールがあったが、今はそのルールが崩壊しつつある。犯罪が多様化した分、それを取り締まるのも日に日に困難になっていくだろう。

・足立区で生きるということ（4）

名選手を輩出する格闘技ジム

足立区・竹の塚付近には、有名選手を輩出した格闘技ジムがたくさんある。ここでは、そのなかでも有名なジムやそれにまつわる有名選手のエピソードをいくつかご紹介したい。

まずは足立区・島根にある島根小学校で毎週金曜日に空手を教えている「拳心会」。

僕が10代のころ、先輩に誘われて初めて格闘技を習ったのがこの拳心会の空手だった。先輩が先生をしているということもあって、当時の地元の不良たちはみんなここに通っていた。

ちなみに僕が初めて練習に行ったとき、今やK－1やKrushで活躍する大沢文也選手が当時中学1年生で練習を頑張っていたのをよく覚えている。

20年以上竹の塚で空手を教えている拳心会は、格闘技だけでなく礼儀作法も教えているというのもひとつの特徴だ。いわば、格闘技を通じた青少年育成も兼ねているのである。本格的な空手の技術と、それを正しく使うための心の在り方。本当の「強さ」をしっかりと教えてくれる、素晴らしい空手道場だ。

2つ目は足立区・保木間にあるキックボクシングジム「パワーオブドリーム」。このジムは元々西新井大師の近くにあったのだが、移転してから沢山のチャンピオンが生まれた。

第2代K–1 WORLD GPスーパーバンダム級王者になってボクシングに移行した武居由樹選手や、第3代K–1 WORLD GPフェザー級王者の江川優生選手、初代K–1 WORLD GPクルーザー級王者シナ・カリミアン選手……。今ではこのようなチャンピオンを続々と輩出したジムとして名が通っている。

なかでもK–1のベルトを持ってる選手が多いので、本気でK–1やKrushを目指している選手にはぜひパワーオブドリームをお勧めしたい。国道沿いのアクセスしやすい場所にあるため、その通いやすさも魅力のひとつだ。

3つ目は足立区・島根にある、ムエタイ専門の「リバイバルジム」。こちらはタイのチャンピオンが本格的な練習を教えてくれるという、大変貴重なジムだ。トレーナーはタイに帰ると国や村から祝福されるような、国民的スターだと聞いている。

リバイバルジムは足立区の大先輩が会長を務めていて、現在は元練習生である僕自身も後援会の副会長として活動をサポートさせていただいている。また、2つ目に紹介したパワーオブドリームとも繋がりがあり、武居選手など多くの選手たちが出稽古に来ているジムでもある。

リバイバルジムは昔「K–River」と言う名前で、20年前にはK–Riverジム主催の大会も行われており、そこには当時まだ小学生だった那須川天心選手やRIZINの平本蓮選手、武居由樹選手なども出場していた。当時サインでももらっておけば良かったと思うくらい、今では大活躍している選手ばかりだ。なかでも平本蓮選手はリバイバルジム会長の直属の教え子ということで、個人的にもすごく応援している。

リバイバルジムの元練習生として言えるのは、ここの練習は本当にハードだということだ。その代わり選手たちの士気も常に高く、毎日本気で練習をしてくれるので必ず強くなることができる。僕もリバイバルジムに入会してキツい練習に耐えたことで、初めてハイキックでＫＯ勝ちをすることができた。今までＫＯ勝ちをしたことがなかった僕がたったの３カ月でここまでの成果を出すことができたのだから、ジムの本気度は間違いないと言っていいだろう。

リバイバルジムの会長はすごく優しい方で、真面目に練習をしている選手には時に厳しく、特に愛情深く色々なことを教えてくれる。

10年以上前、当時リバイバルの練習生だった僕は、格闘技をやりながら懲りずに悪い仕事にも手を出していた。そのせいでよくジムの前に怪しい車が停まっていて、会長からは、

「お前悪い事してないか？　あの車、警察だぞ」

と何度か注意を受けたことがある。

今回ご紹介した以外にも、足立区には素晴らしいジムがたくさんある

練習生である僕の私生活のことを心配してくれていたのだ。しかしまだ若かった僕は曖昧に返事をしてしまい、だんだんと「ジムに迷惑をかけてしまっている」という気まずさから練習に行かなくなってしまった。僕が「元」練習生なのは、そのためだ。

それから数年後リバイバルジムからムエタイチャンピオンが出て、僕なりになにか力になれたらと思い、会長に申し出て後援会に入らせていただくことが決まった。若いころは不義理をしてしまったが、これからはまた少しでもジムの役に立つことができたらと思っている。

・足立区で生きるということ（5）
格闘技イベント『漢気』

２０２２年７月。

僕は青少年育成を兼ねた格闘技イベント『漢気』を地元・足立区で立ち上げた。

足立区で暮らす若者たちに、犯罪ではなく他の生きる糧を見つけて欲しいと考えてのことだった。

僕は、格闘技には人生を変えるだけのパワーがあると思っている。僕自身、格闘技を始めることでそれまでの生き方をガラッと変えることができた。私事にはなってしまうが、まずはそのことから書いていきたい。

僕が格闘技を始めたのは今からおよそ10年前。

20代後半だった僕は、毎日喧嘩や犯罪ばかりして暮らしているようなどうしようもない人間だった。子どものころから不良に憧れて、悪いことをするという方法でしか自分を表現できなかった。他に夢中になれるようなことはなく、違法行為で金を稼いではすべて薬物に使っていた。

そんな僕の人生は、前述した青田君が教える空手道場に出会ったことで大きく変わった。

「喧嘩だけは誰にも負けない」

そう粋がって生きてきたつもりが、いざ空手を始めてみたら中学生相手でも全く歯が立たなかった。これはいかに自分が中途半端な人間だったかを思い知る、衝撃的な経験だった。その悔しさをバネに、僕は毎日道場に足を運ぶようになった。

これが、僕の格闘技人生のスタートだ。

朝から仕事に行って、終わればそのまま稽古に行く。職場と道場をひたすら往復するという毎日は、それまで犯罪ばかりしていた僕の暮らしとは180度違うものだった。必死に練習を重ね、空手だけでなく色々な格闘技の試合にも積極的に参加した。

格闘技は、生半可な覚悟で続けられるようなものではない。特に試合に出るにあたっては、たくさんの厳しい練習や我慢が必要になる。

減量は、その最たる例だ。僕はこの我慢と努力のおかげで、犯罪から一切手を引くことができた。そもそも格闘技に打ち込んでいたら、悪いことをする暇なんて一切ないのだ。こうして夢中になれるものを見つけられたことは、僕にとって本当にラッキーだったと今も思う。

格闘技を始めて良かったことは、もうひとつある。

周りからの評価が大きく変わったことだ。必死に練習を続ける僕を見て、友達や家族が「あいつは変わった」と認めてくれるようになった。さらには試合の応援に来てくれるようにもなり、そういう時は本当に嬉しかったし力になった。

「誰かに応援されることは、人が変わる大きな原動力になる」

僕は格闘技からこのことを学んだ。

こうした自分の経験から、人生をやり直したい人や夢を持つ若者たちを応援できることはないかと考え、立ち上げたのが『漢気』だ。

犯罪に手を染めてしまう若者を少しでも減らす手助けがしたい。自分のように、犯罪以外に夢中になれるものを見つけてもらいたい。そしてこの活動を、愛する地元を少しでも良くすることに役立てたい。とにかくその一心で、右も左も分からない状態から手探りでイベントをスタートさせた。

最初は規模の小さかった『漢気』だが、回を重ねるごとに「参加したい」と言ってくれる選手や、応援してくれる人が増えてきた。本当にありがたいことだと思う。

さらには試合以外の面でも、活動に賛同したアーティストの方がスペシャルライブを披露してくださっている。第2回大会ではラッパーの漢 a.k.a GAMIさん、第3回大会ではD.Oさんや梵頭さん、第4会大会では瑛人さんにパフォーマンスをしていただいた。リングアナウンサーはUZIさんだ。

選手たちやお客さんが喜んでくれるのは素直に嬉しいし、僕自身もこのように大会全体の質を上げられていることに大きなやりがいを感じている。

『漢気』の舞台でスピーチをする著者

もちろん試合に勝つことは素晴らしいことだが、選手たちにはそれよりも過程を大事にしてほしいと考えている。ひたすら自分を追い込み、仲間たちと切磋琢磨し、汗を流す。ここでどれだけ努力できたかが、その選手にとって本当の成長に繋がるのだ。

たとえ負けてしまったとしても「次こそは」という根性は間違いなくつくし、もし将来的に格闘技を止めてしまったとしても、「あの時、自分は逃げずに努力することができた」という成功体験は、何にも代えがたい大きな財産になるだろう。

格闘技自体が人生を変えるのではない。そ

こでの努力が、人生を変えるのだ。

そんな偉そうなことを言っている僕も、試合に参加してくれている選手たちからはたくさんの力をもらっている。ストイックに打ち込む彼らを見て、「自分も怠けてはいられない」と襟を正されることも多い。

自分も選手だったから分かるのだが、試合前というのは死ぬほど怖いものだ。大勢の観客が見守るなか、リングに立って相手と向き合うあの緊張感は、きっと経験した者にしか分からない。怪我をしたとか病気になったとか、適当な言い訳をして試合から逃げることは簡単だ。だからこそ、それをせずに正々堂々とリングに上がる選手たちの姿は本当に感動的だと思う。

かつて僕がそうだったように、彼らにとって格闘技が生きる糧になってくれたらこれ以上嬉しいことはない。

僕は経験したことしか教えることができない。だからこそ、薬物で苦しんでいたり、夢も希望もなく悪い事をして金を稼いだりしている若い人たちに伝えたい。

どうしようもない人生を歩んできた僕でさえ、格闘技を通して犯罪も薬物も止めることができた。もちろん自分が変わろうと思わないと話にならないが、自分が変わり始めると、周りの反応も変わる。その過程を、ぜひ『漢気』を通して感じてほしい。

違法なことで金を稼いだり、友達と薬物をして遊んでも、その経験は将来なんの役にも立たない。まして逮捕なんかされれば、人生はマイナスからのスタートだ。

僕はマイナスの人生からスタートして、10年近くかけてようやく今スタートラインに立てたと感じている。若い人には、僕のように無駄な時間を過ごして欲しくない。僕を反面教師にして、後悔のない生き方をぜひしてもらいたい。そのためには力を貸すし、もし困っていたら声をかけて欲しい。

僕は足立区で生まれ育ち、この街のおかげで今がある。今度は僕が、格闘技を通して足立区に恩返しをしたい。もちろん『漢気』も、そのための活動のひとつだ。もっと力になれるように、現状に満足することなく、僕自身ももっと成長していきたいと思っている。

あとがきに代えて
～足立区に生きるひとりの人間として～

絶大な権力を誇るヤクザ、横行する薬物、そして毎日のように起こる暴力沙汰……。ここまで読んでいただいたすべてが、偽りのない僕の地元の姿だ。

足立区で生まれた人間は何を見て、どのような環境で育つのか。それを読んでいただくことでこの街のリアルを知ってほしいと、この本の冒頭に書いた。最後にその総まとめとして、僕の個人的な話を書いて結びとさせていただきたい。

僕はこの街で、どう生きてきたのか。話は小学生のころに遡る。

○

思えば、犯罪はずっと身近にあった。

小学3年生のとき、親父が覚醒剤で逮捕された。

親父が何をやっていたかは、幼いながらになんとなくわかっていた。部屋には注射器が転がっていて、「お前も疲れたらコレをやれ。元気出るぞ」とティッシュに包まれた白い結晶を手渡された。急に目の前でセンズリを見せてきたこともある。

どう考えても〝まとも〟な親父ではなかった。

ある朝、部屋に警察が入ってきて、親父はそのままどこかへ連れて行かれた。母親がいなかった僕は、その日から親父の両親、つまりおじいちゃん、おばあちゃんと暮らすことになった。

親父の件があったからか、僕は甘やかされて育った。欲しいものは何でも買ってもらえたし、好きなものは飽きるまで食べさせてもらえた。幸い親父が残していった会社の調子が良く、家は割と裕福だったのだ。僕はみるみる太っていき、喧嘩も得意だったので小学校では有名なガキ大将になった。

「あなたは好きに生きていい。ただし、お父さんみたいにはなるな」

これだけが、僕に課せられた鉄の掟だった。


ヤンキーに憧れた僕は、中学に上がると悪さばかりをするようになった。他の学校の番長たちともつるんで、誰もが恐れるようなチームを結成した。ただの憧れだった「悪いこと」が、いつの間にか〝自己表現〟へと変わっていった。

治安が悪いとされる足立区で、僕たちは怖いもの知らずだった。そしてそのことを、誇りに思ってもいた。

唯一、親父の妹である叔母さんは僕のことを厳しく叱ってくれたが、当時の僕はその愛情に気付くことができなかった。


中学を卒業すると、ある先輩が「新宿の歌舞伎町でビジネスをやらないか」と誘ってくれた。高そうなブランド物で身を包んだその先輩は、今まで接してきたヤンキーや暴走族の先輩たちとは全く違う世界の人間に見えて、とてもかっこよかった。

単純な僕はその先輩を「アニキ」と慕い、付いて行くことに決めた。

ヤミ金、派手なクラブ通い、そして覚醒剤。足立区から離れていたこの期間に、悪いことをたくさん覚えた。初めて覚醒剤に手を出したときには親父の顔も浮かんだが、それよりも好奇心が勝っていた。

歌舞伎町を離れ渋谷で遊んでいた時期もあったし、18歳のときには逮捕も経験した。たまに地元に帰ったときには、悪いことをして金を持った自分を見せびらかすように振舞った。地元で暴走族をやっている仲間を見て、「まだそんなガキみたいなことやってるのか」と内心笑っていた。足立区で威張っていたって、所詮は井の中の蛙じゃないかと思っていたのだ。散々偉そうなことも言ったし、みんな腹の中では僕のことを嫌っていたと思う。それでも金を持っていれば、人は集まってきた。

当時の僕は、その優越感が気持ちよくて仕方なかった。

地元に帰ろうと思ったのは、24歳のときだった。

頭に浮かんだのは、僕を育ててくれたおじいちゃんとおばあちゃんのことだ。あちこちで遊んでいた僕は、実家とは完全に音信不通の状態だった。

2人に残された人生の時間は、もう長くはないだろう。このままお別れも言わずに、二度と会えなくなってしまうのだろうか……。急に、怖くなった。

震える手で実家に電話をかけると、おばあちゃんの優しい声が聞こえた。

——よかった、まだ間に合う。

僕はその日のうちに地元に帰り、もう悪い事とは一切の縁を切ると心に決めた。


地元に帰った僕は、格闘技に打ち込むようになり、少しずつ更生への道を歩みだすことができた。ここからは、『漢気』の項目に書いた話の通りである。

今は『漢気』から派生して、歌舞伎町での深夜パトロールを行う自警団としての活動も行っている。ゆくゆくは会社を立ち上げ、行き場のない青少年たちが真っ当に働ける場所にしたいと思っている。なかなか難しいが、やりがいのある仕事だ。


こうして振り返ってみると、地元には楽しかったことも過去のトラウマも、すべてが詰まっていることに気付かされる。すべてを環境のせいにするつもりはないが、やはり自分という人間を考える上でこの街が僕に与えた影響は、良くも悪くも計り知れない。

そしてもうひとつ思うのが、街がどうだという話以前に、僕はこの街で暮らす人たちが好きだということだ。

足立区、そして竹の塚で暮らす人たちのためになるようなことがしたい。そのために、この街を盛り上げたい。散々迷惑をかけてきたのだから、今度は僕が恩返しがしたいと思う。きれいごとに聞こえるかもしれないが、これが僕の本心だ。

確かに足立区は、まだまだ完璧な街とは言えないかもしれない。この本に書いてきたような問題だって、まだまだ解決していないことも多い。

それでも足立区の若い子たちには、地元に絶望せずに生きて欲しいなと思う。

もちろん地元を離れるのもいいだろう。だけどふとした瞬間に思い出したり、「ちょっと帰ろうかな」と思えたり、そんな〝帰れる場所〟としてこの街を残しておいてあげたいと思うのだ。

そのための土壌を、少しずつでも耕しておくこと。
それが、これから僕がやっていくべき仕事だと思っている。

東京都足立区の自宅にて
２０２４年１月　山田ルイ

<著者略歴>

山田ルイ（やまだ・るい）

1985年、東京都足立区生まれ。足立区の中でも治安が良くないとされる竹の塚で育つ。現在は自身の経験を活かし、格闘技イベント「漢気」や新宿・歌舞伎町のパトロールを行う自警団の代表を務めるなど、青少年育成のための活動を行う。

ルポ 足立区

2024年3月19日　第1刷

著　者　　山田ルイ

発行人　　山田有司

発行所　　株式会社　彩図社
東京都豊島区南大塚3-24-4
MTビル　〒170-0005
TEL：03-5985-8213　FAX：03-5985-8224

印刷所　　シナノ印刷株式会社

URL：https://www.saiz.co.jp
https://twitter.com/saiz_sha

 ISBN978-4-8013-0709-4　C0095